# O QUE TODO CORPO FALA

# JOE NAVARRO
### E MARVIN KARLINS

# O QUE
# TODO
# CORPO
# FALA

SEXTANTE

Título original: *What Every Body Is Saying*

Copyright © 2008 por Joe Navarro
Copyright da tradução © 2021 por GMT Editores Ltda.
Publicado mediante acordo com Collins, um selo da Harper Collins Publishers

Todos os direitos reservados. Nenhuma parte deste livro pode ser utilizada ou reproduzida sob quaisquer meios existentes sem autorização por escrito dos editores.

*tradução:* Edson Furmankiewicz
*preparo de originais:* Juliana Souza
*revisão:* Ana Grillo e Luis Américo Costa
*diagramação:* Ana Paula Daudt Brandão
*fotos de miolo:* Mark Wemple
*ilustrações das páginas 85 e 174:* David R. Andrade
*capa:* Filipa Pinto
*imagem de capa:* pessoas/Skalgubbar
*impressão e acabamento:* Bartira Gráfica

CIP-BRASIL. CATALOGAÇÃO NA PUBLICAÇÃO
SINDICATO NACIONAL DOS EDITORES DE LIVROS, RJ

N241q     Navarro, Joe
           O que todo corpo fala/ Joe Navarro, Marvin Karlins; tradução de Edson Furmankiewicz. Rio de Janeiro: Sextante, 2021.
           240 p.; 16 x 23 cm.

           Tradução de: What every body is saying
           ISBN 978-85-431-0970-1

           1. Linguagem corporal. 2. Comunicação não verbal. I. Karlins, Marvin. II. Furmankiewicz, Edson. III. Título.

20-62963                                          CDD: 153.69
                                                 CDU: 159.925

Todos os direitos reservados, no Brasil, por
GMT Editores Ltda.
Rua Voluntários da Pátria, 45 – Gr. 1.404 – Botafogo
22270-000 – Rio de Janeiro – RJ
Tel.: (21) 2538-4100 – Fax: (21) 2286-9244
E-mail: atendimento@sextante.com.br
www.sextante.com.br

# Sumário

**PREFÁCIO À EDIÇÃO BRASILEIRA** — 7

**PREFÁCIO**
Eu vejo o que você está pensando — 9

**UM**
Dominando os segredos da comunicação não verbal — 13

**DOIS**
Nosso legado límbico — 31

**TRÊS**
Tomando pé das coisas — 61

**QUATRO**
Sinais do tronco — 91

**CINCO**
Abraçando o conhecimento — 113

**SEIS**
Lendo mãos — 137

**SETE**
A tela da mente — 167

**OITO**
Detectando mentiras — 205

**NOVE**
Considerações finais — 231

Agradecimentos — 233
Bibliografia — 237

À minha avó, Adelina, cujas mãos calejadas transformaram, com amor, uma criança em um homem.
– Joe Navarro

À minha esposa, Edyth, que me abençoou com seu amor e me ensinou o que significa ser carinhoso.
– Marvin Karlins

# PREFÁCIO À EDIÇÃO BRASILEIRA
## Joe Navarro

Em 1984, visitei o Brasil pela primeira vez e fiquei fascinado. Sobrevoando o Rio, vendo as praias de Ipanema e Copacabana reluzentes e perfeitamente modeladas, vigiadas pela imponente estátua do Cristo, constatei que essa era de fato a Terra de Nosso Senhor. Mesmo antes de aterrissar, eu já sabia que era um lugar especial com um povo especial.

Quase 40 anos e muitas visitas depois, minha percepção não mudou. Visitei as cidades de Porto Alegre, São Paulo, Belo Horizonte, Brasília, Manaus, Fortaleza, Natal, Recife, Olinda, Belém e Caruaru, só para citar algumas, onde fiz muitos amigos e das quais tenho muitas lembranças calorosas. A beleza da paisagem, as montanhas, os rios e as planícies, bem como a selva verdejante e as muitas praias convidativas estão gravadas para sempre em minha mente. O Brasil foi uma segunda casa para mim quando trabalhei na embaixada dos Estados Unidos em Brasília.

Mas o maior patrimônio do Brasil, além da terra de tantos frutos e tanta generosidade, são as pessoas. Nos lugares por que passei, todos que conheci se tornaram amigos. Com pessoas generosas, carinhosas, divertidas, atrevidas, sensuais, brincalhonas, que dançam alegremente e sempre buscam agradar, foi aqui que encontrei um lar para meus pensamentos e minhas aspirações.

Ao relembrar minha carreira como agente do FBI e depois como palestrante e pesquisador, sou grato por todas as experiências que tive no Brasil. Aprendi muito sobre a cultura, a história, as práticas e o povo brasileiro desde a fronteira com o Uruguai até a Guiana.

Confirmei a autenticidade de muitos dos comportamentos que examinei justamente porque eu estava no Brasil e estudando seu povo. Somente o que consegui validar em pelo menos dez países entrou no livro. Assim, quando vi pela primeira vez uma criança indígena ao longo do rio Negro posicionar as mãos em torre enquanto falava com orgulho de caçar os pequenos primatas da região, fiquei feliz – aqui havia mais um indivíduo com pouco contato com os europeus para confirmar minhas descobertas. Mais um comportamento que eu poderia confirmar como universal, não cultural.

Meus irmãos e irmãs brasileiros, devo a vocês muito do que aprendi sobre comunicações não verbais ao longo das décadas. E, embora eu me concentre em comportamentos universais, sem dúvida você vai achar útil entender como esse tipo de comunicação ocorre em casa e no trabalho.

Ao ler *O que todo corpo fala*, lembre-se de que foi aqui, nesta terra boa e generosa, que validei muitos comportamentos. Sendo assim, para você eu digo: muito obrigado. Obrigado por ler este livro, que é também uma homenagem ao alegre povo brasileiro.

## PREFÁCIO
# Eu vejo o que você está pensando
### Marvin Karlins, Ph.D.

O homem se sentou com a postura ereta a uma extremidade da mesa, respondendo com cautela às perguntas do agente do FBI. Ele não era o principal suspeito do crime. Seu álibi era plausível e ele parecia sincero, mas o agente continuou pressionando. Com firmeza, fez uma série de perguntas sobre a arma do crime:

"Se tivesse cometido esse crime, você teria usado um revólver?"
"Se tivesse cometido esse crime, você teria usado uma faca?"
"Se tivesse cometido esse crime, você teria usado um picador de gelo?"
"Se tivesse cometido esse crime, você teria usado um martelo?"

Um dos objetos citados, o picador de gelo, havia sido usado no crime, mas essa informação não fora divulgada. Assim, apenas o assassino saberia qual era a verdadeira arma do crime. Enquanto citava as armas, o agente do FBI observava o suspeito atentamente. Quando o picador de gelo foi mencionado, o homem cerrou bem os olhos e permaneceu assim até o próximo objeto ser citado. O agente entendeu na hora o significado dos olhos fechados e, a partir daí, o suspeito "secundário" se tornou o principal foco da investigação. Posteriormente, ele confessou ser o assassino.

Ponto para Joe Navarro, um ser humano notável que, além de desmascarar o assassino do picador de gelo, também foi responsável por desvendar um grande número de crimes, inclusive alguns praticados por mestres da espionagem, em uma notável carreira de 25 anos no FBI.

Como ele conseguiu fazer isso? Se você perguntasse a Joe, ele diria em voz baixa: "Devo isso à capacidade de ler pessoas."

Joe passou toda a sua vida profissional estudando, se aperfeiçoando e aplicando a ciência das comunicações não verbais – expressões faciais, gestos, movimentos, distância do corpo, toques, postura e até roupas – para decifrar o que as pessoas pensam, como pretendem agir e se suas declarações são verdadeiras ou falsas. Isso *não é* uma boa notícia para criminosos, terroristas e espiões, que geralmente emitem sinais corporais não verbais ("pistas") mais do que suficientes para tornar os próprios pensamentos e intenções transparentes e detectáveis.

Porém é uma notícia muito boa para você, leitor, porque o mesmo conhecimento não verbal que Joe usou para se tornar um importantíssimo "caçador de espiões", "polígrafo humano" e instrutor do FBI será compartilhado com você para que consiga entender melhor os sentimentos, os pensamentos e as intenções das pessoas ao seu redor. Como renomado autor e educador, Joe vai lhe ensinar a observar o mundo como um especialista, detectando e decifrando os comportamentos não verbais das pessoas para poder interagir com mais sucesso. Esse conhecimento vai enriquecer tanto a sua vida pessoal como a profissional.

Muitos dos conhecimentos expostos neste livro não eram sequer reconhecidos pela comunidade científica em meados dos anos 1990. Somente por meio dos avanços recentes na tecnologia de varredura cerebral e de imagens neurais é que os cientistas conseguiram validar os comportamentos que Joe descreverá aqui. Com base nas últimas descobertas nas áreas de psicologia, neurobiologia, medicina, sociologia, criminologia, comunicação e antropologia – e em seus 25 anos de experiência usando comportamento não verbal em seu trabalho como agente especial do FBI –, Joe está excepcionalmente qualificado para ajudá-lo a entender as comunicações não verbais. A experiência dele é reconhecida em todo o mundo. Já foi entrevistado em programas como *The Today Show, Fox News, Good Morning America, The Early Show* e na BBC News, e também por publicações como *The Washington Post, South China Morning Post* e *Psychology Today*. Já realizou seminários para o FBI, a CIA e outros setores da comunidade de inteligência, além de prestar consultoria para instituições bancárias, seguradoras e grandes escritórios de advocacia nos Estados Unidos e no exterior. Joe também ensina na Saint Leo University e já deu aulas em várias escolas de medicina nos Estados Unidos, onde seus conhecimentos ajudaram médicos a avaliar pacientes com mais rapidez e precisão. A combinação de habilidades acadêmicas e credenciais profissionais de Joe com sua análise magistral das comunicações não verbais na vida real em situações de alto risco o coloca na vanguarda do conhecimento no assunto.

Depois de trabalhar com Joe, assistir aos seus seminários e colocar suas ideias em prática na minha vida, acredito firmemente que o conteúdo das páginas a seguir vai contribuir para um grande avanço na nossa compreensão de todas as expressões humanas não verbais. Digo isso como um psicólogo experiente que se envolveu no projeto deste livro porque ficou empolgado com o trabalho pioneiro de Joe para reunir todo o conhecimento *científico* sobre as comunicações não verbais a fim de alcançar objetivos profissionais e sucesso pessoal.

Também fiquei impressionado com a abordagem cuidadosa e fundamentada de Joe. Por exemplo, embora observar comportamentos não verbais possibilite uma "leitura precisa" de muitos tipos de comportamento, ele nos alerta de que usar a linguagem corporal para detectar dissimulações é uma tarefa particularmente difícil e desafiadora. Isso é um argumento significativo – raramente reconhecido por leigos ou por profissionais de segurança – e serve como um lembrete importantíssimo e crucial para que você seja muito cuidadoso antes de avaliar a honestidade de uma pessoa com base apenas em sinais físicos.

Ao contrário de muitos outros livros sobre esse tema, as informações aqui apresentadas se baseiam em fatos científicos e descobertas comprovadas, e não em opiniões pessoais e especulações infundadas. Além disso, o livro destaca o que outros trabalhos geralmente ignoram: o papel fundamental desempenhado pelo sistema límbico do cérebro humano para entender e usar pistas não verbais de modo eficaz.

Não importa se está estudando comportamentos não verbais porque deseja ser bem-sucedido no trabalho ou simplesmente para ter um bom relacionamento com amigos e familiares, este livro foi escrito para você. Para dominar esse assunto, você terá que ler os capítulos a seguir de forma cuidadosa, além de se comprometer a dedicar tempo e energia para aprender e aplicar os ensinamentos de Joe em sua rotina.

Analisar pessoas de modo eficaz – aprender, decodificar e utilizar comportamentos não verbais para prever ações humanas – é uma tarefa que oferece amplas recompensas pelo esforço despendido. Portanto, com os pés no chão, vire esta página e prepare-se para aprender e observar os comportamentos não verbais importantíssimos que Joe ensinará. Logo você entenderá facilmente o que o corpo fala.

UM

# Dominando os segredos da comunicação não verbal

Sempre que ensino linguagem corporal, invariavelmente me perguntam: "Joe, o que o levou a estudar esse assunto?" Não foi algo que eu havia planejado fazer, nem o resultado de algum fascínio de longa data pelo tema. Foi por um motivo muito mais prático do que esses: a necessidade de me adaptar com sucesso a um modo de vida totalmente novo. Quando tinha 8 anos, saí de Cuba para me refugiar nos Estados Unidos. Minha família partiu poucos meses após a invasão da Baía dos Porcos, achando sinceramente que o exílio duraria pouco tempo.

Como eu ainda não sabia falar inglês, fiz o que milhares de outros imigrantes que vieram para esse país fizeram. Entendi rapidamente que, para me enturmar com os novos colegas de escola, eu precisava estar ciente da "outra" linguagem à minha volta: o comportamento não verbal. Descobri que eu poderia traduzi-la e entendê-la de imediato. Na minha mente jovem, eu via o corpo humano como uma espécie de outdoor que transmitia o que uma pessoa pensava por meio de gestos, expressões faciais e movimentos que eu podia interpretar. Com o tempo, claro, aprendi inglês – e até perdi alguma habilidade com o idioma espanhol –, mas nunca esqueci a comunicação não verbal. Eu soube cedo que sempre poderia contar com ela.

Aprendi a usar a linguagem corporal para decifrar o que meus colegas e professores tentavam transmitir e como se sentiam em relação a mim. Uma das primeiras coisas que observei foi que as pessoas que de fato gostavam de mim arqueavam as sobrancelhas quando me viam entrar na sala de aula.

Por outro lado, aquelas que não iam muito com a minha cara me olhavam com os olhos semicerrados quando eu aparecia – um comportamento que, uma vez observado, nunca é esquecido. Logo passei a usar esse tipo de informação, como muitos outros imigrantes utilizam, para avaliar as pessoas e fazer amigos, para me comunicar apesar da barreira idiomática óbvia, para evitar inimigos e cultivar bons relacionamentos. Muitos anos mais tarde, eu usaria esses mesmos comportamentos visuais para solucionar crimes quando me tornei agente especial do FBI (ver Quadro 1).

Com base em minha história, minha formação e meu treinamento, quero lhe ensinar a ver o mundo como um especialista do FBI em comunicação não verbal vê: um ambiente realista e dinâmico onde todas as interações humanas fornecem informações. Você vai ter a oportunidade de usar a linguagem silenciosa para enriquecer o próprio conhecimento sobre o que as pessoas pensam, sentem e pretendem fazer. Esse conteúdo vai ajudá-lo a se destacar dos outros ao reconhecer pistas antes ocultas sobre o comportamento humano.

## O QUE EXATAMENTE É COMUNICAÇÃO NÃO VERBAL?

A comunicação não verbal, muitas vezes chamada comportamento não verbal ou linguagem corporal, é uma forma de transmitir informações por meio de expressões faciais, gestos, toques (háptica), movimentos (cinésica), postura, adornos corporais (roupas, acessórios, penteado, tatuagens, etc.) e até do tom, timbre e volume de voz de uma pessoa. Comportamentos não verbais englobam aproximadamente 60 a 65% de toda a comunicação interpessoal e, durante uma relação sexual, podem constituir 100% da comunicação entre os parceiros (Burgoon, 1994, 229-285).

### QUADRO 1: EM UM PISCAR DE OLHOS

"Bloqueio do olhar" é um comportamento não verbal que pode ocorrer quando nos sentimos ameaçados e/ou não gostamos daquilo que vemos. Ficar com os olhos semicerrados (como no caso dos meus colegas de classe que não gostavam de mim), fechados ou cobertos são ações que evoluíram para evitar que o cérebro "veja" imagens indesejáveis e para comunicar nosso desdém por outras pessoas.

Como investigador, usei comportamentos de bloqueio do olhar para ajudar na investigação de um incêndio criminoso e trágico em um hotel em Porto Rico, em que 97 pessoas morreram. Um segurança era o principal suspeito, porque o incêndio começou na área em que ele trabalhava. Uma das maneiras de determinar que ele não tinha nada a ver com o crime foi fazer algumas perguntas muito específicas sobre onde ele estava antes e no momento do ocorrido, e se ele tinha começado ou não o incêndio. Após cada pergunta, busquei detectar no rosto dele sinais reveladores do comportamento de bloqueio do olhar e notei que só ocorriam quando perguntavam sobre onde ele estava quando o incêndio tinha começado. Por outro lado, estranhamente ele não parecia incomodado com a pergunta "Você começou o incêndio?". Isso me fez entender que o problema real era sua localização no momento do incêndio, e não seu possível envolvimento no crime. Ele foi interrogado posteriormente pelos investigadores responsáveis e acabou admitindo ter deixado seu posto para ver a namorada, que também trabalhava no hotel. Infelizmente, enquanto ele estava fora, os incendiários entraram na área que ele deveria vigiar e deflagraram o incêndio.

Nesse caso, o fato de o segurança ter bloqueado o olhar nos deu a pista necessária para seguir uma linha investigativa que acabou levando à abertura do processo criminal. No final, três incendiários foram presos e condenados pelo crime. O segurança, embora lamentavelmente negligente, não era o culpado.

---

A comunicação não verbal também pode revelar os pensamentos, sentimentos e intenções reais de uma pessoa. Por essa razão, comportamentos não verbais são muitas vezes chamados *indícios*. Como as pessoas nem sempre percebem que estão se comunicando de maneira não verbal, a linguagem corporal geralmente é mais honesta do que os pronunciamentos orais de um indivíduo, conscientemente criados para alcançar os objetivos de quem fala (ver Quadro 2).

---

### QUADRO 2: GESTOS FALAM MAIS ALTO QUE PALAVRAS

Um exemplo memorável de como a linguagem corporal às vezes pode ser mais confiável do que a linguagem verbal envolveu o estupro de uma jovem na Reserva Indígena de Parker, no Arizona. Um suspeito foi levado a interrogatório. Ele soou convincente, e sua versão da história foi plausível. Ele alegou que não tinha visto a vítima e que, quando estava no campo, desceu por uma aleia de pés de algodão, virou à esquerda e então foi direto para sua casa. Enquanto meus colegas faziam anotações sobre o que ouviam, eu mantive meus olhos no suspeito e vi que, quando falava sobre virar à esquerda e ir para casa, ele fazia um gesto com a mão de virar *à direita*, que era exatamente a direção que levava à cena do crime. Se eu não o estivesse observando, não teria percebido a discrepância entre o comportamento verbal ("virei à esquerda") e o não verbal (gesticular para a direita). Depois que percebi isso, porém, suspeitei que ele estivesse mentindo. Esperei um pouco e então o confrontei mais uma vez, e por fim ele confessou o crime.

---

Sempre que o comportamento não verbal de outra pessoa ajudar você a entender os sentimentos, intenções ou ações dela – ou esclarecer suas palavras faladas –, você então decodificou e usou de maneira bem-sucedida essa linguagem silenciosa.

## USANDO O COMPORTAMENTO NÃO VERBAL PARA MELHORAR SUA VIDA

Pesquisadores concluíram que aqueles que conseguem ler e interpretar de maneira eficaz a comunicação não verbal, e gerenciar como os outros os percebem, tendem a se dar melhor na vida do que os indivíduos que não possuem essa habilidade (Goleman, 1995, 13-92). O objetivo deste livro é ensinar você a observar o mundo ao seu redor e determinar o significado dos comportamentos não verbais em qualquer contexto. Esse poderoso conhecimento vai aprimorar suas interações e enriquecer sua vida, como aconteceu comigo.

Uma das coisas fascinantes sobre o comportamento não verbal é sua aplicabilidade universal. Ele funciona em qualquer interação entre seres humanos e é confiável. Depois de entender o significado de um comportamento não verbal, você pode usar essa informação em várias circunstâncias diferentes e em todos os tipos de ambiente. Na verdade, é difícil interagir efetivamente sem a comunicação não verbal. Se você já se perguntou por que as pessoas ainda viajam para participar de reuniões na era dos computadores, mensagens de texto, e-mails, celulares e videoconferências, o motivo é a necessidade de expressar e observar pessoalmente o comportamento não verbal. Nada supera os encontros presenciais, porque os comportamentos não verbais são poderosos e significativos. O que você vai aprender neste livro poderá ser aplicado a qualquer situação, em qualquer cenário.

---

### QUADRO 3: **DANDO UM PONTO DE VANTAGEM A UM MÉDICO**

---

Meses atrás, apresentei um seminário para um grupo de jogadores de pôquer sobre como usar o comportamento não verbal para ler a mão dos oponentes e ganhar mais dinheiro nas mesas. Como o pôquer é um jogo com muito uso de blefes e dissimulação, os jogadores têm muito interesse em conseguir ler as pistas dos oponentes. A decodificação das comunicações não verbais é fundamental para seu sucesso. Muitos agradeceram as ideias que eu dei, mas o que me surpreendeu mesmo foi a quantidade de gente que conseguiu perceber a importância do entendimento e do uso do comportamento não verbal para além da mesa de pôquer.

Duas semanas após o seminário, recebi um e-mail de um dos participantes, um médico do Texas. "O que eu acho mais surpreendente", escreveu ele, "é que o que aprendi no seminário também ajudou na minha prática clínica. Os comportamentos não verbais que você nos ensinou para interpretar os jogadores de pôquer também me ajudaram a interpretar meus pacientes. Agora consigo perceber quando eles estão desconfortáveis, confiantes ou se não estão sendo totalmente honestos." A mensagem do médico fala da universalidade dos comportamentos não verbais e de sua importância em todos os aspectos da vida.

## DOMINAR AS COMUNICAÇÕES NÃO VERBAIS REQUER UMA PARCERIA

Estou convencido de que qualquer um pode aprender a usar a comunicação não verbal para melhorar a si mesmo. Sei disso porque já ensinei milhares de pessoas como você a decodificar os comportamentos não verbais e a usar essas informações para aprimorar a vida delas e de seus amigos e familiares, bem como para alcançar seus objetivos pessoais e profissionais. Mas, para esse processo ser possível, você e eu precisamos estabelecer uma parceria de trabalho, cada um contribuindo com algo importante para nosso esforço mútuo.

### Seguindo os dez mandamentos para detectar e decodificar comunicações não verbais com sucesso

Interpretar corretamente as pessoas – usar inteligência não verbal para avaliar os pensamentos, sentimentos e intenções delas – é uma habilidade que requer prática constante e treinamento adequado. Para ajudá-lo no treinamento, vou fornecer algumas diretrizes – ou mandamentos – importantes para maximizar sua eficácia na interpretação de comportamentos não verbais. À medida que você incorporar esses mandamentos à sua vida cotidiana, eles se transformarão em algo automático para você, necessitando de pouco ou nenhum pensamento consciente para serem colocados em prática. É quase como aprender a dirigir. Você se lembra da primeira vez que tentou? Se foi como eu, você estava tão preocupado em conduzir o veículo que era difícil monitorar o que fazia *dentro* do carro e ao mesmo tempo se concentrar no que acontecia *fora*. Somente depois de se sentir à vontade ao volante foi que você conseguiu expandir seu foco para abranger todo o ambiente de direção. É assim que acontece com o comportamento não verbal. Depois de dominar a mecânica para usá-la de forma eficaz, ela se tornará automática e você poderá concentrar toda a sua atenção em decodificar o mundo ao seu redor.

**Mandamento 1: Seja um observador competente de seu ambiente.**
Esse é o requisito mais básico para quem deseja decodificar e usar comunicações não verbais.

Imagine a insensatez de colocar tampões nos ouvidos para tentar ouvir alguém. Não conseguiríamos ouvir a mensagem e perderíamos tudo que fosse dito. Assim, a maioria dos ouvintes atentos não anda por aí usando tampões de ouvido. Porém, quando se trata de perceber a linguagem silenciosa do comportamento não verbal, os observadores podem se comportar como se estivessem vendados, desatentos aos sinais corporais em volta deles. Atenção: assim como *ouvir* cuidadosamente é crucial para entender nossa expressão verbal, uma *observação* cuidadosa é vital para compreender nossa linguagem corporal. Uau! Volte e leia novamente essa frase antes de continuar. O que se afirma nela é fundamental. *Observação conjunta* (ou esforço conjunto) é importantíssima para interpretar as pessoas e detectar corretamente seus sinais não verbais.

O problema é que a maioria das pessoas passa a vida olhando, mas não efetivamente observando, ou, como o meticuloso detetive inglês Sherlock Holmes já afirmou ao parceiro Dr. Watson: "Você vê, mas não observa." Infelizmente, a maior parte dos indivíduos usa esforço observacional mínimo para ver o mundo. Essas pessoas, então, são desatentas a mudanças sutis. Estão alheias à rica tapeçaria dos detalhes em torno delas, como um leve movimento da mão ou do pé de alguém que pode trair seus pensamentos ou intenções.

De fato, vários estudos científicos demonstraram que as pessoas são péssimas observadoras. Por exemplo, certa vez colocaram um homem usando um traje de gorila caminhando na frente de um grupo de estudantes enquanto outras atividades aconteciam, e metade dos alunos não percebeu o fator destoante da cena (Simons & Chabris, 1999, 1.059-1.074)!

Maus observadores não têm o que os pilotos de companhias aéreas chamam "consciência situacional", que é a percepção de todos os elementos do ambiente; eles não têm uma imagem mental sólida do que exatamente está acontecendo em torno ou na frente deles. Peça a eles que entrem em uma sala estranha cheia de pessoas, dê a eles a chance de olharem em volta e então peça que fechem os olhos e relatem o que viram. Você ficará surpreso com a incapacidade deles de lembrar até as características mais marcantes da sala.

É triste constatar que não é raro sabermos de alguém que sempre parece ser surpreendido pelos acontecimentos da vida. As queixas desses indivíduos são quase sempre as mesmas:

*"Minha esposa acabou de pedir o divórcio. Eu não tinha a menor ideia de que ela estava descontente com nosso casamento."*

*"O orientador diz que meu filho usa cocaína há três anos. Jamais imaginei que ele tivesse problema com drogas."*

*"Eu estava discutindo com um sujeito e do nada ele me deu um soco. Nem vi de onde veio."*

*"Eu achava que meu chefe estava muito feliz com meu desempenho no trabalho. Eu nunca ia imaginar que seria demitido."*

Esses são os tipos de afirmações feitas por homens e mulheres que nunca aprenderam a observar o mundo ao seu redor de maneira eficaz. Na verdade, essa limitação não surpreende. Afinal de contas, nunca fomos instruídos sobre como observar os sinais não verbais dos outros. Não há aulas no ensino fundamental, médio ou superior que ensinem percepção situacional. Se tiver sorte, você aprende sozinho a ser mais observador. Se não, você perde uma quantidade inacreditável de informações úteis que poderiam ajudá-lo a evitar problemas e tornar sua vida mais gratificante, seja em um encontro romântico, no trabalho ou em família.

Felizmente, a observação é uma habilidade que pode ser aprendida. Não precisamos passar a vida sendo surpreendidos. Além disso, como é uma habilidade, podemos aprimorá-la com o tipo certo de treinamento e de prática. Se você não é "bom de vista", não se desespere. Você pode superar sua deficiência nessa área se estiver disposto a dedicar tempo e esforço a observar as coisas de maneira mais consciente.

O que você precisa fazer é tornar a observação – a observação conjunta – um modo de vida. Estar ciente do seu entorno não é um ato passivo. É consciente e deliberado – algo que exige esforço, energia, concentração e *prática constante* para ser mantido. A observação é como um músculo: torna-se mais forte com o uso e se atrofia se for deixada de lado. Exercite seu músculo observacional e você se tornará um decodificador mais poderoso.

A propósito, quando falo de observação conjunta, estou pedindo que você utilize todos os seus sentidos, não apenas a visão. Sempre que entro em meu apartamento, respiro fundo. Se sinto um cheiro fora do normal, fico preocupado. Uma vez detectei um leve odor de fumaça de cigarro ao voltar de uma viagem. Meu nariz me alertou de um possível perigo bem antes que meus olhos examinassem meu apartamento inteiro. Descobri que o técnico de manutenção estivera no apartamento para consertar um cano quebrado, e o cheiro de fumaça impregnado nas roupas e na pele dele ainda pairava no ar várias horas mais tarde. Felizmente, ele era um intruso bem-vindo, mas facilmente poderia haver um ladrão à espreita na sala ao lado. A questão é que, usando todos os meus sentidos, pude avaliar melhor o ambiente e contribuir para minha segurança e meu bem-estar.

**Mandamento 2: Observar o contexto é fundamental para entender o comportamento não verbal.** Ao tentar entender o comportamento não verbal em situações da vida real, quanto mais você tem noção do *contexto* em que ele ocorre, melhor será seu entendimento do que ele significa. Por exemplo, após um acidente de trânsito, espera-se que as pessoas fiquem chocadas e andem desnorteadas pelo local. E também que fiquem com as mãos tremendo e até que tomem decisões ruins como caminhar entre os carros. (É por isso que nesses casos os policiais pedem que você permaneça no carro.) Por quê? Após um acidente, uma região cerebral conhecida como *sistema límbico* sequestra o cérebro "pensante" das pessoas, que sofrem os efeitos desse processo. O resultado desse sequestro inclui comportamentos como tremores, desorientação, nervosismo e mal-estar. No contexto, essas ações são esperadas e confirmam o estresse do acidente. Durante uma entrevista de emprego, espera-se que os candidatos estejam inicialmente nervosos e que esse nervosismo vá se dissipando. Se essa sensação aparecer novamente após perguntas específicas, é necessário investigar os motivos para tanto.

**Mandamento 3: Aprenda a reconhecer e decodificar comportamentos não verbais que são universais.** Alguns comportamentos corporais são considerados universais porque são expressos de maneira semelhante pela maioria das pessoas. Por exemplo, quando os lábios ficam muito comprimidos, a ponto de quase desaparecerem, isso é um sinal claro e comum de que a pessoa está perturbada e que algo está errado. Esse comportamento não verbal, conhecido como *compressão labial*, é um dos *sinais universais* que descreverei nos capítulos a seguir (ver Quadro 4). Quanto mais desses comportamentos não verbais universais você conseguir reconhecer e interpretar com precisão, mais eficaz você será ao avaliar os pensamentos, sentimentos e intenções de todos ao seu redor.

---

QUADRO 4: **LÁBIOS FRANZIDOS RESULTARAM EM UMA ECONOMIA SIGNIFICATIVA PARA UMA COMPANHIA MARÍTIMA**

---

Os sinais universais emitidos pelos lábios foram muito úteis para mim durante um trabalho de consultoria para uma companhia marítima britânica. O cliente pediu que eu participasse das negociações com uma grande corporação multinacional que venderia equipamentos para seus navios. Concordei e sugeri que o contrato proposto fosse discutido e acordado item a item. Dessa forma, eu poderia observar mais atentamente no negociador quaisquer comportamentos não verbais que pudessem revelar informações úteis para meu cliente.

"Eu aviso se encontrar algo que precise de sua atenção", falei ao meu cliente e então me afastei para observar as partes revisando cada cláusula do contrato. Não precisei esperar muito para perceber algo importante. Quando leram um item detalhando o equipamento de uma parte específica da embarcação – uma fase da construção envolvendo milhões de dólares –, o principal negociador da multinacional franziu os lábios, uma indicação clara de que algo nessa parte do contrato não estava do seu agrado.

Avisei ao meu cliente, alertando-o de que essa cláusula específica do contrato era controversa ou problemática e deveria ser revisada e discutida minuciosamente enquanto eu ainda estivesse ali com ele.

Confrontado com a questão naquele momento – e focando os detalhes da cláusula em questão –, os dois negociadores conseguiram estabelecer um acordo, o que fez meu cliente economizar US$ 13,5 milhões. O sinal não verbal de descontentamento do negociador foi a principal evidência necessária para identificar um problema específico e lidar com ele de forma imediata e efetiva.

---

**Mandamento 4: Aprenda a reconhecer e decodificar comportamentos não verbais idiossincráticos.** Os comportamentos não verbais universais englobam determinado grupo de sinais corporais: aqueles que são relativamente iguais para todos. Existe, no entanto, um segundo tipo de sinal corporal chamado *comportamento não verbal idiossincrático*, que é um sinal quase exclusivo de um indivíduo em particular.

Para identificar sinais idiossincráticos, você deve ficar atento a *padrões comportamentais* nas pessoas com quem interage regularmente (amigos, familiares, colegas de trabalho, pessoas que fornecem bens ou serviços). Quanto melhor você conhece um indivíduo, ou quanto mais tempo interage com ele, mais fácil será descobrir essas informações, porque você terá um banco de dados maior para fundamentar os seus julgamentos. Por exemplo, se você observar um adolescente coçando a cabeça e mordendo os lábios quando ele estiver prestes a fazer uma prova, isso pode ser um sinal idiossincrático confiável que transmite o nervosismo ou a falta de preparação dele. Sem dúvida, isso se tornou parte do repertório dele para lidar com o estresse, e você verá esse padrão se repetir porque "o melhor indicador de um comportamento futuro é o comportamento passado".

**Mandamento 5: Ao interagir, tente estabelecer o comportamento padrão das pessoas.** Para detectar o *comportamento padrão* daqueles com quem você interage regularmente, é necessário reparar como eles ficam quando agem naturalmente, de que forma costumam se sentar, onde colocam as mãos, a posição usual dos pés, a postura e as expressões faciais corriqueiras, a inclinação da cabeça e até onde eles costumam deixar suas coisas, como uma bolsa (ver Figuras 1 e 2). Você precisa ser capaz de diferenciar o semblante "normal" do modo "estressado".

Não perceber um comportamento padrão coloca você na mesma posição dos pais que esperam o filho adoecer para conferir como está a garganta dele. Eles ligam para o médico e tentam descrever o que veem, mas não têm como saber o estado anterior porque nunca examinaram a garganta do filho quando ele estava saudável. Quando examinamos o que é normal, começamos a reconhecer e identificar o que é anormal.

Observe as características do rosto quando a pessoa não está estressada. Os olhos estão relaxados e os lábios, normais.

O rosto de alguém estressado fica tenso e ligeiramente contorcido, as sobrancelhas ficam contraídas e a testa, franzida.

Até em um encontro com alguém você deve tentar observar a "posição inicial" da outra pessoa na interação. Definir seu comportamento padrão é fundamental porque permite determinar quando ela se desvia dele, o que pode ser muito importante e esclarecedor (ver Quadro 5).

**Mandamento 6: Sempre tente detectar múltiplos sinais nas pessoas – comportamentos que ocorrem juntos ou em sucessão.** Você vai aprimorar sua precisão para interpretar pessoas quando conseguir observar *múltiplos sinais* do corpo que sejam confiáveis. Esses sinais funcionam juntos como as partes de um quebra-cabeça. Quanto mais peças você possui, maiores serão suas chances de uni-las e ver a imagem que elas formam. Por exemplo, se vejo um concorrente exibir um padrão de comportamentos de estresse seguidos por comportamentos pacificadores, posso ficar confiante de que ele está se sentindo mais fraco na negociação.

**Mandamento 7: É importante procurar mudanças no comportamento de uma pessoa que possam sinalizar alterações em seus pensamentos, emoções, interesses ou intenções.** *Mudanças* repentinas no comportamento podem ajudar a revelar como uma pessoa processa informações ou se adapta a episódios emocionais. Uma criança que demonstra empolgação e felicidade com a perspectiva de entrar em um parque de diversões muda o comportamento imediatamente após saber que o parque está fechado. Adultos não são diferentes. Quando recebemos más notícias por telefone ou vemos algo que pode nos chatear, nosso corpo reflete essa mudança na hora.

---

### QUADRO 5: UM ASSUNTO FAMILIAR

---

Imagine por um momento que você tem um filho de 8 anos que está esperando para cumprimentar parentes em uma grande reunião familiar. Como esse evento acontece todo ano, seu filho já precisou esperar a vez de dizer olá a todos várias vezes. Ele nunca hesitou em correr e dar um grande abraço nos familiares. Entretanto, nessa ocasião, quando chega a hora de abraçar o tio Harry, ele fica paralisado.

"O que houve?", você sussurra para ele, empurrando-o em direção ao tio que o espera.

Seu filho não diz nada, mas está muito relutante em responder ao seu sinal físico.

O que você deve fazer? O importante a observar aqui é que esse comportamento do filho é um desvio do comportamento padrão. Ele nunca tinha hesitado em cumprimentar o tio com um abraço. Qual o motivo da mudança de comportamento? A "paralisia" sugere que ele se sente ameaçado ou que sente algo negativo. Talvez não exista uma razão justificada para esse medo, mas um pai observador e sensivelmente cauteloso deve ficar em alerta a partir dessa reação. O desvio de comportamento indica que algo negativo pode ter ocorrido entre o menino e o tio desde o último encontro. Talvez tenha sido um desentendimento simples, a falta de jeito do fim da infância ou uma reação ao fato de o tio ter dado tratamento preferencial a terceiros. Entretanto, esse comportamento pode indicar algo muito mais sinistro. A questão é que uma mudança no comportamento padrão de uma pessoa indica que algo pode estar errado e, nesse caso específico, justifica mais atenção.

---

Mudanças no comportamento de uma pessoa também podem revelar o interesse ou as intenções dela em determinadas circunstâncias. Notar essas diferenças pode permitir que se prevejam coisas antes que elas aconteçam, claramente dando uma vantagem ao perceptor – principalmente se a ação iminente puder causar danos a você ou a outras pessoas (ver Quadro 6).

**Mandamento 8: Aprender a detectar sinais não verbais falsos ou enganosos também é crucial.** Para que seja possível diferenciar os sinais autênticos dos *enganosos*, é preciso prática e experiência, além de observação conjunta e um julgamento cuidadoso. Nos próximos capítulos, ensinarei os detalhes sutis nas ações de uma pessoa que revelam se um comportamento é sincero ou premeditado, aumentando sua probabilidade de fazer uma leitura precisa daquele com quem você está lidando.

**Mandamento 9: Saber distinguir entre bem-estar e mal-estar irá ajudá-lo a focar os comportamentos mais importantes para decodificar as comunicações não verbais.** Depois de estudar comportamentos não verbais durante a maior parte de minha vida adulta, percebi que há duas coisas principais em que devemos focar: *bem-estar* e *mal-estar*. Isso é fundamental para aprender sobre comunicações não verbais. Saber detectar com precisão os sinais (comportamentos) de bem-estar e mal-estar de outras pessoas irá ajudá-lo a decifrar o que corpos e mentes estão de fato dizendo. Em caso de dúvida sobre o que um comportamento significa, pergunte a si mesmo se isso transmite bem-estar (satisfação, felicidade, relaxamento) ou mal-estar (desgosto, infelicidade, estresse, ansiedade, tensão). Na maioria das vezes, você conseguirá colocar os comportamentos observados em um desses dois domínios.

---

### QUADRO 6: ÀS VEZES, OS PROBLEMAS ESTÃO BEM NA SUA FRENTE

---

Entre os comportamentos mais importantes e indicativos dos pensamentos de uma pessoa estão os *sinais de intenção*, que são determinadas mudanças na linguagem corporal. Esses comportamentos revelam o que uma pessoa está prestes a fazer e fornecem ao observador competente mais tempo para se preparar para a ação prevista.

Um exemplo pessoal de como é crucial observar mudanças no comportamento das pessoas – principalmente quando as mudanças incluem sinais de intenção – envolve uma tentativa de assalto a uma loja onde trabalhei. Nessa situação específica, percebi um homem parado perto do caixa na saída, um comportamento que chamou minha atenção porque ele parecia não ter motivos para estar lá; ele não estava na fila nem tinha comprado nenhum produto. Além disso, não tirou os olhos do caixa enquanto permaneceu por lá.

Se ele tivesse permanecido quieto onde estava, em algum momento eu teria perdido o interesse nele e concentrado minha atenção em outro lugar. No entanto, enquanto eu ainda o observava, seu comportamento mudou. Especificamente, suas narinas começaram a se abrir (dilatação da asa nasal), o que indicou que ele estava se oxigenando para começar a agir. Previ o que ele ia fazer um segundo antes de ele entrar em ação. E um segundo foi o tempo que tive para emitir um alerta. Gritei para o caixa "Cuidado!", enquanto três coisas aconteciam ao mesmo tempo: (1) o caixa abriu a gaveta com o dinheiro para registrar uma venda; (2) o homem próximo ao caixa se inclinou para a frente, enfiando a mão na gaveta para pegar algum dinheiro; e (3) alertado por meu grito, o caixa segurou a mão do homem e a torceu, fazendo com que o ladrão soltasse o dinheiro e saísse correndo da loja. Se eu não tivesse percebido aquele sinal de intenção, tenho certeza de que o ladrão teria sido bem-sucedido. Por acaso, o caixa era meu pai, que administrava uma pequena loja de ferragens em Miami em 1974. Eu era um temporário dele.

---

**Mandamento 10: Ao observar os outros, seja sutil.** Para decodificar comportamentos não verbais de forma precisa, você tem que observar as pessoas com cuidado. Mas uma coisa que você *não* quer fazer ao observar os outros é tornar suas intenções óbvias. Muitas pessoas tendem a encarar o outro quando tentam identificar sinais não verbais. Não é aconselhável ser invasivo dessa maneira. O ideal é ficar à espreita sem que os outros saibam, ou seja, ser discreto.

Trabalhe para aperfeiçoar suas habilidades observacionais e você chegará a um ponto em que seus esforços serão bem-sucedidos *e* sutis. Tudo é questão de prática e persistência.

Você já foi apresentado aos dez mandamentos que precisa seguir para decodificar a comunicação não verbal com sucesso e está apto a estabelecer nossa parceria. A questão agora é: "Que comportamentos não verbais devo procurar e que informações importantes eles revelam?" É aqui que eu entro.

## Identificando comportamentos não verbais importantes e seus significados

O corpo humano é capaz de emitir milhares de "sinais" ou mensagens não verbais. Quais são os mais importantes e como decodificá-los? O problema é que você pode passar uma vida inteira observando, avaliando e fazendo validações meticulosas para conseguir identificar e interpretar com precisão as comunicações não verbais mais importantes. Felizmente, com a ajuda de alguns pesquisadores muito talentosos e de minha experiência prática como especialista do FBI em comportamento não verbal, podemos adotar uma abordagem mais direta. Já identifiquei os comportamentos não verbais mais importantes, então de saída você já tem esse conhecimento especial. Também desenvolvemos um paradigma ou modelo que facilita a interpretação dos comportamentos não verbais. Mesmo se esquecer o que significa determinado sinal corporal, você ainda conseguirá decifrá-lo.

Ao ler estas páginas, você entenderá certas coisas sobre o comportamento não verbal que nunca foram reveladas em nenhum outro texto (incluindo exemplos de sinais de comportamento não verbal usados para solucionar casos reais do FBI). Parte deste material irá surpreendê-lo. Por exemplo, se você tivesse que escolher a parte mais "honesta" do corpo de uma pessoa – aquela que revelaria os sentimentos ou intenções *verdadeiros* de um indivíduo –, qual parte você selecionaria? Adivinhe. Depois que eu revelar a resposta, você saberá exatamente o que deve observar ao tentar concluir o que um colega de trabalho, familiar, parceiro ou total estranho está pensando, sentindo ou planejando. Também vou explicar a base fisiológica do comportamento não verbal, o papel que o cérebro desempenha. Também revelarei como detectar fraudes de uma forma que nenhum agente de contrainteligência fez antes.

Acredito firmemente que entender a base biológica da linguagem corporal irá ajudá-lo a entender o funcionamento do comportamento não verbal e por que ele é um indicador tão poderoso dos pensamentos, sentimentos e intenções humanos. Portanto, começaremos o capítulo seguinte analisando esse órgão magnífico, o cérebro humano, e mostraremos como ele regula todos os aspectos da linguagem corporal. Antes disso, porém, vou compartilhar uma observação sobre a validade do uso da linguagem corporal para entender e avaliar o comportamento humano.

## HISTÓRIA DE DETETIVE

Em um encontro fatídico em 1963, em Cleveland, Ohio, o veterano detetive de 39 anos Martin McFadden reparou que havia dois homens andando de um lado para outro na frente de uma vitrine. Eles se revezavam espreitando a loja e então se afastavam. Depois de passar várias vezes por lá, os dois homens se encontraram no final da rua, olhando por cima dos ombros enquanto falavam com uma terceira pessoa. Preocupado com a possibilidade de os homens quererem assaltar a loja, o detetive se aproximou, revistou um dos homens e encontrou uma arma escondida. O detetive McFadden prendeu os três homens, impedindo assim um assalto e possíveis homicídios.

As observações detalhadas do policial McFadden tornaram-se a base de uma decisão histórica da Suprema Corte dos Estados Unidos (*Terry v. Ohio*, 1968, 392 U.S. 1) conhecida por todos os policiais daquele país. Desde 1968, essa decisão judicial permite que policiais abordem e revistem indivíduos sem necessidade de mandado quando o comportamento deles sinalizar a intenção de cometer um crime. Com essa decisão, a Suprema Corte reconheceu que determinados comportamentos não verbais, se detectados e interpretados de forma adequada, são um presságio para a prática de crimes. O caso *Terry v. Ohio* forneceu não só uma demonstração clara da relação entre nossos pensamentos, intenções e comportamentos não verbais como também, sobretudo, *reconhecimento jurídico* de que essa relação existe e é válida (Navarro & Schafer, 2003, 22-24).

Portanto, da próxima vez que alguém lhe disser que um comportamento não verbal não diz nada ou não é confiável, lembre-se desse processo, uma vez que ele afirma o contrário e resistiu ao teste do tempo.

DOIS

# Nosso legado límbico

Pare por um momento e morda o lábio. Sério, faça isso. Agora, coce a testa. Por fim, massageie a nuca. Fazemos esse tipo de coisa o tempo todo. Passe um período com outras pessoas e você verá que elas acabam replicando esses comportamentos regularmente.

Você já se perguntou *por que* elas – e *você* também – fazem isso? A resposta pode estar escondida em uma caixa – a caixa *craniana* –, onde o cérebro humano reside. Depois de aprender por que e como o cérebro aciona nosso corpo para expressar emoções de maneira não verbal, vamos descobrir como interpretar esses comportamentos. Portanto, vamos analisar mais detalhadamente a parte interna da caixa e examinar o um quilo e meio de matéria mais incrível que existe dentro de nós.

Muitas pessoas acham que possuem apenas um cérebro e o reconhecem como o centro de suas habilidades cognitivas. Na verdade, existem três "cérebros" dentro do crânio humano, cada um executando funções específicas que, juntas, atuam como o "centro de comando e controle" que regula tudo o que nosso corpo faz. Em 1952, Paul MacLean foi o primeiro cientista a falar do cérebro humano como um *cérebro trino* que é formado por um "cérebro reptiliano (pedúnculo)", um "cérebro mamífero (límbico)" e um "cérebro humano (neocórtex)" (ver Figura 3). Neste livro, vamos focar o sistema límbico do cérebro (a parte que Mac-Lean chamou de cérebro mamífero), porque ele desempenha o papel mais importante na expressão de nossos comportamentos não verbais. Entretanto, usaremos o neocórtex (nosso cérebro humano ou pensante) para analisar criticamente as reações límbicas a fim de decodificar o que as pessoas estão pensando, sentindo ou planejando (LeDoux, 1996, 184-189; Goleman, 1995, 10-21).

É fundamental saber que o cérebro controla todos os comportamentos, sejam eles conscientes ou inconscientes. Essa premissa é a base para entender todas as comunicações não verbais. Desde simplesmente coçar a cabeça até compor uma sinfonia, não há nada que você faça (exceto alguns reflexos musculares involuntários) que não seja dirigido pelo cérebro. De acordo com essa lógica, podemos interpretar esses comportamentos como aquilo que o cérebro escolhe para se comunicar externamente.

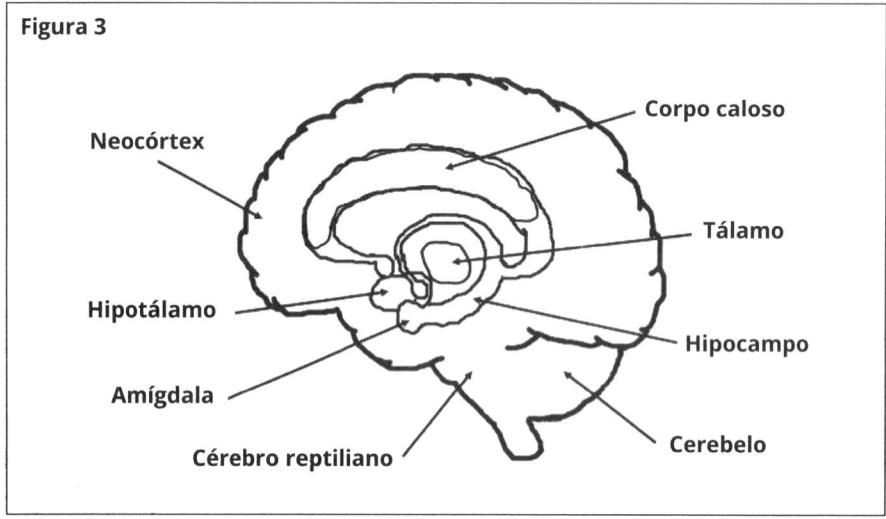

Diagrama do cérebro límbico com suas principais características.

## O CÉREBRO LÍMBICO É MUITO REFINADO

No nosso estudo das comunicações não verbais, o cérebro límbico é onde está a ação. Como é a parte que reage ao mundo, de forma reflexa e instantânea, em tempo real e sem pensar, o cérebro límbico emite uma resposta *verdadeira* às informações vindas do ambiente (Myers, 1993, 35-39). Como é responsável por nossa sobrevivência, ele não descansa, está sempre "ligado". Além disso, é nosso centro emocional. É a partir daí que os sinais são emitidos para várias outras partes do cérebro, que por sua vez orquestram os comportamentos relacionados a emoções ou à nossa sobrevivência (LeDoux, 1996, 104-137). Esses comportamentos podem ser observados e interpretados à medida que se manifestam fisicamente nos pés, tronco, braços, mãos e rosto. Como essas reações não são premeditadas, ao contrário das palavras, elas são sempre genuínas. Assim, o cérebro límbico é considerado o "cérebro honesto" quando pensamos em comportamentos não verbais (Goleman, 1995, 13-29).

Essas respostas límbicas de sobrevivência remontam não apenas à nossa infância, mas também à nossa ancestralidade enquanto espécie humana. Elas estão conectadas ao sistema nervoso, então é difícil ocultá-las ou eliminá-las – seria como tentar suprimir uma resposta de sobressalto mesmo quando sabemos com antecedência que ouviremos um ruído alto. Portanto, é incontestável que comportamentos límbicos são honestos e confiáveis; são verdadeiras manifestações de nossos pensamentos, sentimentos e intenções (ver Quadro 7).

---

QUADRO 7: **INTERCEPTANDO UM HOMEM-BOMBA**

---

Como a parte límbica do cérebro não pode ser regulada cognitivamente, deve-se dar maior importância aos comportamentos resultantes de sua atividade quando for o caso de interpretar comunicações não verbais. Você pode usar seus pensamentos para tentar ocultar suas emoções verdadeiras quanto quiser, mas o sistema límbico se autorregula e acaba dando pistas do que está de fato acontecendo. Observar essas reações de alarme e saber que são genuínas e significativas é extremamente importante; pode até salvar vidas.

Um exemplo disso ocorreu em dezembro de 1999, quando uma agente da alfândega dos Estados Unidos frustrou os planos de um terrorista que passou a ser conhecido como o "homem-bomba do milênio". Observando o nervosismo e o suor profuso de Ahmed Reesam ao entrar nos Estados Unidos vindo do Canadá, a agente Diana Dean pediu que ele saísse do carro para um interrogatório adicional. Nesse momento, Reesam tentou fugir, mas logo foi capturado. Em seu carro, os policiais encontraram explosivos e temporizadores. Reesam foi condenado por tramar um atentado a bomba contra o aeroporto de Los Angeles.

O nervosismo e a transpiração que a agente Dean observou são uma resposta do cérebro a situações de muito estresse. Como esses comportamentos límbicos são genuínos, a agente Dean estava confiante ao perseguir Reesam, sabendo que havia detectado uma linguagem corporal que justificava uma investigação mais profunda. O caso de Reesam ilustra como o estado psicológico de uma pessoa se manifesta de maneira não verbal no corpo. Nesse exemplo, o sistema límbico de um homem-bomba – que obviamente estava muito assustado com a possibilidade de ser descoberto – revelou seu nervosismo, apesar de todas as tentativas conscientes do rapaz para ocultar suas emoções subjacentes. Devemos nossa gratidão à agente Dean por ser uma observadora perspicaz do comportamento não verbal e evitar um atentado terrorista.

---

A terceira parte do nosso cérebro passou a existir há relativamente pouco tempo na caixa craniana. Por isso, é chamado *neocórtex*, ou novo cérebro. Essa parte também é conhecida como cérebro humano pensante ou intelectual, porque é responsável pela cognição e pela memória de ordem superior. Ela nos distingue de outros mamíferos devido ao grande volume de massa (córtex) usado para os pensamentos. Esse é o cérebro que nos levou à Lua. Com sua capacidade de calcular, analisar, interpretar e intuir em um nível único para a espécie humana, ele é fundamental e criativo. Porém, é também a parte do cérebro que é menos honesta; portanto, é nosso "cérebro mentiroso". Como produz pensamentos complexos, esse cérebro – diferentemente de seu equivalente límbico – é o *menos* confiável dos três principais componentes cerebrais. Ele pode *enganar*, e faz isso com frequência (Vrij, 2003, 1-17).

Voltando ao nosso exemplo anterior, embora o sistema límbico possa levar o homem-bomba do milênio a transpirar de forma profusa ao ser interrogado pela agente da alfândega, o neocórtex permite que ele minta sobre seus verdadeiros sentimentos. A parte pensante do cérebro, que é aquela que determina a fala (especificamente a área de Broca), poderia fazer com que o homem-bomba dissesse que não havia explosivos no carro, mesmo que essa alegação fosse uma mentira flagrante. O neocórtex permite que se diga facilmente a uma amiga que gostamos do novo corte de cabelo dela quando, na verdade, não gostamos, ou facilita que se façam afirmações duvidosas de forma muito convincente.

Como o neocórtex (o cérebro pensante) pode ser desonesto, ele não é uma boa fonte de informações confiáveis ou precisas (Ost, 2006, 259-291). Resumindo, quando se trata de revelar comportamentos não verbais honestos que nos ajudam a analisar as pessoas, o sistema límbico é o Santo Graal da linguagem corporal. Portanto, essa é a área do cérebro onde queremos focar nossa atenção.

## NOSSAS RESPOSTAS LÍMBICAS – CONGELAR, FUGIR, LUTAR

Uma das maneiras clássicas pela qual o cérebro límbico garantiu a sobrevivência da nossa espécie – e produziu um número confiável de sinais não verbais no processo – foi regulando nosso comportamento ao encarar perigos, fôssemos um homem pré-histórico enfrentando um animal da Idade da Pedra ou um executivo enfrentando um chefe difícil. Ao longo de milênios, mantivemos reações viscerais resultantes de nossa herança animal, eficazes a ponto inclusive de salvar vidas. Para garantir nossa sobrevivência, a resposta muito refinada do cérebro a adversidades ou ameaças assumiu três formas: *congelar*, *fugir* e *lutar*. Como outras espécies animais que também eram protegidas pelo cérebro límbico, os seres humanos que possuíam essas reações límbicas sobreviveram, possibilitando a proliferação de nossa espécie, porque esses comportamentos já estavam previstos no nosso sistema nervoso.

Tenho certeza de que muitos de vocês já ouviram falar em "reação de lutar ou fugir", que é uma terminologia comumente usada para descrever a maneira como respondemos a situações ameaçadoras ou perigosas. Infelizmente, essa expressão está incompleta e fora de ordem! Na verdade, os animais, incluindo os seres humanos, reagem ao perigo de acordo com a seguinte ordem: congelar, fugir, lutar. Se a reação inicial fosse de fato lutar ou fugir, a maioria de nós viveria ferida, abatida e exausta.

Como mantivemos e aperfeiçoamos esse processo muito bem-sucedido para lidar com estresse e perigo – e uma vez que as reações resultantes geram comportamentos não verbais que nos ajudam a entender os pensamentos, sentimentos e intenções de uma pessoa –, vale a pena examinar cada item detalhadamente.

## A resposta de congelamento

Há milhões de anos, os primeiros hominídeos se deparavam com muitos predadores que poderiam devorá-los. Para que o homem primitivo fosse bem-sucedido, o cérebro límbico, que começou a evoluir a partir dos nossos antepassados, desenvolveu estratégias para compensar a vantagem da força que nossos predadores tinham sobre nós. Uma delas, ou primeira defesa do sistema límbico, era usar a *resposta de congelamento*. Movimento atrai atenção; a coisa mais eficaz que o cérebro límbico faz para garantir nossa sobrevivência é ativar o comportamento para permanecermos imóveis. A maioria dos animais, e certamente a maior parte dos predadores, reage a – e é atraída por – movimentos. Essa capacidade de congelar diante do perigo faz sentido. Muitos carnívoros perseguem alvos móveis e exercitam o mecanismo de "perseguir, derrubar e morder" observado em felinos grandes, os principais predadores de nossos ancestrais.

Muitos animais não apenas ficam paralisados quando confrontados por predadores, como até fingem que estão mortos, que é a expressão máxima da capacidade de congelar. É uma estratégia usada por marsupiais, mas eles não são os únicos animais que fazem isso. De fato, relatos sobre os tiroteios nas instituições de ensino de Columbine e Virginia Tech demonstram que os alunos usaram a resposta de congelamento para lidar com predadores fatais. Muitos alunos sobreviveram por terem ficado imóveis ou se fingido de mortos, embora estivessem a poucos metros dos assassinos. Instintivamente, os alunos adotaram comportamentos ancestrais que funcionam de maneira muito eficaz. Ficar imóvel geralmente torna as pessoas quase invisíveis para os outros, um fenômeno que todo policial das forças especiais da SWAT aprende.

Assim, a resposta de congelamento foi passada do homem primitivo para o homem moderno e permanece hoje como nossa primeira linha de defesa contra uma ameaça ou um perigo detectado. Como exemplo, é possível ver essa reação límbica ancestral nos teatros de Las Vegas, onde grandes felinos são parte de um dos espetáculos. Quando o tigre ou o leão entra no palco, é quase certo que as pessoas na primeira fileira não vão fazer nenhum gesto injustificado com o braço ou a mão. Elas vão permanecer paralisadas nas poltronas. Essas pessoas não receberam instruções para ficarem imóveis; fizeram isso porque o cérebro límbico preparou a espécie humana por milhares de anos para se comportar dessa maneira diante do perigo.

No dia a dia da sociedade moderna, a resposta de congelamento é empregada de maneira mais sutil. É possível observá-la quando as pessoas são flagradas blefando ou roubando, ou às vezes quando estão mentindo. Quando se sentem ameaçadas ou expostas, elas reagem exatamente como nossos ancestrais milhares de anos atrás: congelam. Não apenas nós, como seres humanos, aprendemos a congelar diante do perigo real ou presumido como aqueles ao nosso redor aprenderam a copiar nosso comportamento e também congelar, mesmo sem ver a ameaça. Esse mimetismo ou *isopraxismo* (mesmo movimento) evoluiu porque era crucial para a sobrevivência do grupo, bem como para a harmonia social da espécie humana (ver o Quadro 8).

Essa ação de congelar às vezes é chamada de efeito "cervo diante de faróis". Quando somos pegos desprevenidos em uma circunstância potencialmente perigosa, imediatamente ficamos paralisados antes de agir. Em nosso dia a dia, essa reação se manifesta de maneira inocente, como quando uma pessoa andando pela rua para do nada, talvez dando um tapinha na testa, antes de se virar e voltar para casa a fim de desligar o fogão. Essa parada momentânea é suficiente para que o cérebro faça uma avaliação rápida, quer a ameaça venha na forma de um predador ou da lembrança de um perigo. De qualquer maneira, a psique deve lidar com uma situação potencialmente perigosa (Navarro, 2007, 141-163).

QUADRO 8: **A NOITE EM QUE AS MÃOS PARARAM DE SE MOVER**

Certa vez eu estava na casa de minha mãe assistindo à televisão e tomando sorvete com familiares. Era tarde da noite, e alguém tocou a campainha (algo que é *muito* incomum no bairro). No mesmo instante, todos – adultos e crianças – congelaram as mãos, como se fosse uma coreografia. Foi incrível ver como todos nós reagimos com as "mãos congeladas" exatamente na mesma hora. No final, era só minha irmã, que havia esquecido as chaves. Mas é claro que isso nem tinha passado pela nossa cabeça. Foi um belo exemplo da resposta conectada ao perigo percebido e da primeira reação límbica, que é congelar.

Soldados em combate reagem da mesma maneira. Quando o "batedor" congela, todo mundo o imita; nada precisa ser dito.

---

Congelamos quando confrontados por ameaças não só físicas e visuais, como no exemplo da campainha tarde da noite, mas também auditivas. Por exemplo, muitas pessoas permanecem imóveis quando são punidas. O mesmo comportamento é observado quando um indivíduo está sendo questionado sobre coisas que ele percebe que podem lhe causar problemas. A pessoa vai permanecer congelada como se estivesse em uma cadeira ejetora (Gregory, 1999).

Uma manifestação semelhante do congelamento límbico ocorre durante entrevistas, quando as pessoas param de respirar ou passam a respirar de forma pouco intensa. Mais uma vez, é uma resposta ancestral a uma ameaça. O entrevistado não percebe esse comportamento, mas qualquer um que o observe consegue notar com facilidade. Muitas vezes tive que dizer a um entrevistado que relaxasse e respirasse fundo durante uma entrevista ou um depoimento, pois ele não percebia como sua respiração tinha ficado fraca.

Coerentes com a necessidade de congelar quando confrontadas com uma ameaça, pessoas que são interrogadas sobre um crime geralmente fixam os pés no chão em uma posição de segurança (entrelaçados às pernas da cadeira) e se mantêm assim por um período descomunal de tempo. Quando vejo esse tipo de comportamento, já consigo saber que algo está errado; isso é uma resposta límbica que precisa ser explorada em mais detalhes. A pessoa pode ou não estar mentindo, pois não é possível detectar a farsa num primeiro momento. Mas, baseado no comportamento não verbal, posso garantir que algo está estressando o interrogado; portanto, busco a fonte do mal-estar por meio de interação ou perguntas.

Outro tipo de resposta de congelamento se manifesta quando o cérebro límbico tenta nos proteger diminuindo nossa exposição. Uma das coisas que se destaca quando se monitora o comportamento de ladrões em lojas é que eles tentam esconder sua presença física restringindo os movimentos ou se curvando como se tentassem ficar invisíveis. Ironicamente, isso os destaca ainda mais, pois é um desvio do comportamento normal de alguém que está fazendo compras. A maioria das pessoas anda pela loja com os braços bastante ativos e a postura ereta, em vez de curvada. Psicologicamente, aqueles que roubam lojas – ou crianças que tentam roubar discretamente um biscoito da despensa – buscam dominar o ambiente tentando "se esconder" em público. Outro modo de tentar se esconder em público é limitando a exposição da cabeça. Isso é feito levantando os ombros e abaixando a cabeça – o "efeito tartaruga". Lembre-se de um time de futebol saindo de campo após perder uma partida e você conseguirá visualizar esse efeito (ver Figura 4).

**Figura 4**

O "efeito tartaruga" (os ombros se levantam e a cabeça se abaixa) costuma ser visto quando as pessoas são humilhadas ou subitamente perdem a autoconfiança.

De maneira interessante e triste, crianças vítimas de abuso costumam manifestar esses comportamentos límbicos de congelamento. Na presença de pessoas abusivas, os braços ficam dormentes e a criança evita contatos visuais, como se isso a ajudasse a não ser vista. De certa forma, ela está se escondendo em público, o que é uma ferramenta de sobrevivência para essas crianças indefesas.

## A resposta de fuga

Um dos objetivos da resposta de congelamento é evitar que a pessoa seja vista por predadores perigosos ou em situações de perigo. Outro é dar ao indivíduo ameaçado a oportunidade de avaliar a situação e determinar a melhor medida a ser tomada. Quando a resposta de congelamento não é suficiente para eliminar o perigo ou não é o melhor curso de ação (por exemplo, quando a ameaça está muito próxima), a segunda resposta límbica é fugir usando a *resposta de fuga*. Obviamente, o propósito dessa escolha é escapar da ameaça ou, no mínimo, distanciar-se do perigo. Correr também é útil, e, como um mecanismo de sobrevivência, o cérebro induziu nosso corpo a adotar essa tática criteriosamente por milênios a fim de escapar do perigo.

Mas no mundo moderno, onde vivemos principalmente em cidades e não na natureza, é difícil fugir das ameaças; portanto, adaptamos a resposta de fuga para atender nossas necessidades atuais. Os comportamentos não são tão óbvios, mas servem ao mesmo propósito: bloquear a presença física de indivíduos ou coisas indesejáveis, ou nos distanciar dela.

Se pensar nas interações sociais que você teve ao longo da vida, é provável que se lembre de algumas vezes em que foi evasivo para se distanciar da atenção indesejada de outras pessoas. Assim como uma criança se afasta de alimentos indesejáveis na mesa de jantar, um indivíduo pode se afastar de alguém de quem não gosta ou para evitar conversas que o incomodam. Entre os comportamentos de bloqueio estão fechar ou esfregar os olhos, ou colocar as mãos na frente do rosto.

A pessoa também pode se distanciar de alguém inclinando-se na direção contrária à da pessoa indesejada, colocando objetos (uma bolsa, por exemplo) no colo ou virando os pés em direção à saída mais próxima.

Todos esses comportamentos são controlados pelo cérebro límbico e indicam que alguém deseja se distanciar de uma ou mais pessoas indesejáveis ou de qualquer ameaça no ambiente. Mais uma vez, adotamos esses comportamentos porque, por milhares de anos, os humanos se afastaram de coisas de que não gostavam ou que poderiam prejudicá-los. Portanto, até hoje saímos rápido de uma festa desagradável, terminamos relacionamentos ruins ou nos afastamos daqueles que consideramos indesejáveis ou mesmo daqueles dos quais discordamos fortemente (ver Figura 5).

Assim como uma pessoa pode se afastar do seu par romântico, um indivíduo pode desviar os olhos ou o próprio corpo de seu interlocutor no meio de uma negociação se ouvir uma oferta pouco atraente ou caso

**Figura 5**
As pessoas se afastam inconscientemente quando discordam uma da outra ou se sentem desconfortáveis.

se sinta ameaçado à medida que a conversa continua. Também pode haver comportamentos de bloqueio; o interlocutor pode fechar ou esfregar os olhos ou cobrir o rosto com as mãos (ver Figura 6). Ele pode se afastar da mesa ou da outra pessoa ou também virar os pés para o outro lado, às vezes na direção da saída mais próxima. Esses comportamentos não são dissimulados e sinalizam que a pessoa está se sentindo desconfortável. Essas formas arcaicas da resposta de fuga são comportamentos não verbais de *distanciamento* que indicam que o interlocutor está descontente com o que ocorre no momento.

**Figura 6**

O bloqueio ocular é uma demonstração muito poderosa de consternação, descrença ou desacordo.

## A resposta de luta

A *resposta de luta* é a tática final do cérebro límbico para a sobrevivência, e nesse caso é executada por meio de agressão. Quando permanecer imóvel (congelamento) e se distanciar ou escapar (fuga) não são suficientes para que uma pessoa evite ser detectada, a única alternativa que resta é lutar. Ao longo da evolução de nossa espécie, nós – juntamente com outros mamíferos – desenvolvemos a estratégia de transformar o medo em raiva a fim de combater os agressores (Panksepp, 1998, 208). No mundo moderno, no entanto, agir de acordo com nossa raiva pode não ser praticável ou mesmo legal; portanto, o cérebro límbico desenvolveu outras estratégias além da resposta mais primitiva da luta física.

Uma forma de agressão moderna é a argumentação. Embora o significado original do termo *argumento* se refira apenas a um debate ou uma conversa, a palavra tem sido cada vez mais usada para descrever uma discussão. Argumentar de forma calorosa é essencialmente "lutar" por meios não físicos. Insultos, ataques pessoais, contra-argumentos, menosprezo do nível hierárquico ou social, incitação e sarcasmo são todos, cada um à sua maneira, equivalentes modernos da luta, por serem formas de agressão. Analisando bem, até ações judiciais cíveis podem ser interpretadas como um tipo de luta moderna e socialmente sancionada no qual os litigantes confrontam de forma agressiva dois pontos de vista opostos.

Ainda que hoje os seres humanos se envolvam em discussões físicas menos do que em outros períodos da história, lutar ainda é parte do nosso arsenal límbico. Algumas pessoas são mais propensas à violência do que outras, mas nossa resposta límbica se manifesta de várias maneiras além de socos, chutes e mordidas. Você pode ser muito agressivo sem contato físico, usando, por exemplo, apenas sua postura, seu olhar, estufando o peito ou violando o espaço pessoal de outras pessoas. Ameaças ao nosso espaço pessoal provocam uma resposta límbica em um nível individual. Curiosamente, essas violações territoriais também podem criar respostas límbicas em nível coletivo. Quando um país invade o espaço de outro, isso costuma resultar em sanções econômicas, rompimento de relações diplomáticas e até guerras.

Claro que é fácil reconhecer quando alguém usa a resposta de luta para cometer um ataque físico. O que quero mostrar aqui são os comportamentos mais sutis e não tão óbvios associados à resposta de luta. Assim como vemos diversas manifestações das reações límbicas de congelamento e de fuga, o decoro moderno exige evitar agir de acordo com nossas inclinações primitivas de lutar quando nos sentimos ameaçados.

Em geral, aconselho as pessoas a não usar agressão (verbal ou física) como meio de alcançar seus objetivos. Assim como a resposta de luta é o último recurso ao lidar com uma ameaça – usada somente se as táticas de congelamento e fuga se mostrarem insuficientes –, você também deve evitá-la sempre que possível. Além das razões legais e físicas óbvias que motivam essa recomendação, táticas agressivas podem resultar em confusão emocional, tornando difícil para a pessoa se concentrar e pensar claramente sobre a situação ameaçadora em questão. Quando somos emocionalmente estimulados – e uma boa luta é suficiente para tal –, nossa capacidade de pensar de forma eficaz é afetada. Isso acontece porque nossas habilidades cognitivas são "sequestradas" para que o cérebro límbico possa fazer pleno uso de todos os recursos cerebrais disponíveis (Goleman, 1995, 27, 204-207). Uma das melhores razões para estudar comportamentos não verbais é que às vezes eles podem alertá-lo sobre uma pessoa que pretende agredi-lo fisicamente, dando-lhe tempo para evitar um possível conflito.

## CONFORTO/DESCONFORTO E PACIFICADORES

Para usar um termo da antiga série *Jornada nas estrelas*, a "primeira diretriz" do cérebro límbico é garantir nossa sobrevivência como espécie. Ele faz isso por ser programado para garantir nossa segurança evitando perigos ou desconfortos e buscando segurança ou conforto sempre que possível. E também nos permite recordar experiências passadas e aproveitá-las (ver Quadro 9). Até agora, vimos que o sistema límbico é muito eficiente em nos ajudar a lidar com ameaças. Agora vamos analisar como o cérebro e o corpo trabalham juntos para nos dar conforto e autoconfiança quanto à nossa segurança pessoal.

Ao experimentar uma sensação de conforto (bem-estar), o cérebro límbico "vaza" essa informação na forma de linguagem corporal coerente com nossos sentimentos positivos. Observe alguém descansando em uma rede em um dia agradável. O corpo reflete o intenso conforto experimentado pelo cérebro. Por outro lado, quando nos sentimos angustiados (desconforto), o cérebro límbico expressa um comportamento não verbal que reflete esse estado negativo. Basta observar como as pessoas ficam quando seu voo é cancelado ou está atrasado. Os corpos dizem tudo. Portanto, queremos aprender a examinar mais de perto os comportamentos de conforto e desconforto que vemos todos os dias e usá-los para avaliar sentimentos, pensamentos e intenções.

Em geral, quando o cérebro límbico está em estado de conforto, esse bem-estar mental e fisiológico se reflete em demonstrações não verbais de satisfação e *elevada autoconfiança*. Mas, quando o cérebro límbico experimenta desconforto, a linguagem corporal correspondente é caracterizada por comportamentos emblemáticos de estresse ou *baixa autoconfiança*. Conhecer esses "marcadores comportamentais" irá ajudá-lo a determinar o que uma pessoa deve estar pensando, como agir ou o que esperar ao lidar com outras pessoas em qualquer contexto.

## A importância dos comportamentos pacificadores

Compreender como as respostas de congelamento, fuga e luta do sistema límbico influenciam o comportamento não verbal é apenas parte da equação. Ao estudar esses comportamentos, você descobrirá que, sempre que há uma resposta límbica – especialmente a uma experiência negativa ou ameaçadora –, ela será seguida por algo que chamo *comportamentos pacificadores* (Navarro, 2007, 141-163).

Essas ações, muitas vezes chamadas de *adaptadores* na literatura, servem para nos acalmar depois que passamos por algo desagradável ou extremamente ruim (Knapp & Hall, 2002, 41-42). Ao tentar restabelecer as "condições normais", o cérebro pede que o corpo manifeste comportamentos reconfortantes (pacificadores). Como eles são sinais externos, é possível observá-los e decodificá-los em tempo real e no contexto da situação.

---

### QUADRO 9: UM CÉREBRO QUE NÃO ESQUECE

---

O cérebro límbico é como um computador que recebe e armazena dados do mundo exterior. Ele compila e mantém um registro de eventos e experiências negativos (um dedo queimado num fogão quente, um ataque pessoal ou de um predador animal, ou até comentários ofensivos), bem como de encontros agradáveis. Usando essas informações, o cérebro límbico permite que se navegue em um mundo perigoso e muitas vezes implacável (Goleman, 1995, 10-21). Por exemplo, uma vez que o sistema límbico registra um animal como perigoso, essa impressão fica incorporada à nossa memória emocional para que, na próxima vez que o animal for visto, a reação aconteça instantaneamente. Da mesma forma, se nos depararmos com o "valentão da classe" 20 anos mais tarde, os sentimentos negativos de muito tempo atrás vão emergir mais uma vez, graças ao cérebro límbico.

Geralmente é difícil esquecer quando alguém nos machuca porque essa experiência fica registrada no sistema límbico mais primitivo, que é a parte do cérebro projetada não para raciocinar, mas para reagir (Goleman, 1995, 207). Certa vez, encontrei um indivíduo com quem nunca me dei bem. Fazia quatro anos desde que eu o tinha visto pela última vez, mas minhas reações viscerais (límbicas) continuavam tão negativas quanto eram anos atrás. Meu cérebro estava me lembrando de que esse indivíduo se aproveita dos outros, assim me alertando a ficar longe. Esse fenômeno é precisamente o que Gavin de Becker comentou em seu perspicaz livro *Virtudes do medo*.

O sistema límbico é eficiente da mesma forma para gravar e armazenar eventos e experiências positivas (por exemplo, satisfação de necessidades básicas, elogios e relacionamentos interpessoais agradáveis). Assim, um rosto amigável ou familiar causará uma reação imediata – uma sensação de prazer e bem-estar. Os sentimentos de euforia quando vemos um velho amigo ou reconhecemos um aroma agradável da infância ocorrem porque esses encontros foram registrados na "zona de conforto" do banco de memória associado ao nosso sistema límbico.

---

O uso de pacificadores não é exclusivo da nossa espécie. Por exemplo, cães e gatos lambem a si mesmos e uns aos outros como uma forma de oferecer conforto. Os seres humanos exibem um número muito maior de comportamentos pacificadores. Alguns são muito óbvios, enquanto outros são muito mais sutis. Se solicitada a identificar um comportamento pacificador, a maioria das pessoas logo pensa em uma criança chupando o polegar, mas nem se toca num primeiro momento de que, depois que deixamos de lado essa busca por conforto, passamos a adotar maneiras mais discretas e socialmente aceitáveis de atender a necessidade de nos acalmar (por exemplo, mascar chiclete, morder lápis). Muitos não percebem que esses são comportamentos pacificadores mais sutis ou desconhecem sua importância para revelar os pensamentos e sentimentos de uma pessoa. É uma pena. Para interpretar corretamente comportamentos não verbais, é fundamental aprender a reconhecer e decodificar comportamentos humanos pacificadores, pois eles revelam muito sobre o estado mental atual de uma pessoa e fazem isso com uma precisão incomum (ver Quadro 10).

Procuro comportamentos pacificadores nas pessoas para saber quando elas não estão à vontade ou quando estão reagindo negativamente a algo que eu fiz ou disse. Em uma entrevista, consigo detectar isso em uma resposta a uma pergunta ou em um comentário específico. Comportamentos que sinalizam desconforto (como inclinar-se para a frente, franzir a testa, cruzar ou tensionar os braços) são geralmente seguidos por movimentos das mãos para buscar conforto (ver Figura 8). Procuro esses comportamentos para confirmar o que está acontecendo na mente da pessoa com quem estou lidando.

Por exemplo, se toda vez que pergunto a uma pessoa "Você conhece fulano?", ela responde "Não" e então imediatamente toca o pescoço ou a boca, sei que ela busca conforto diante dessa pergunta específica (ver Figura 9). Não sei se ela está mentindo, porque é bastante difícil detectar dissimulações, mas sei que ficou incomodada com a pergunta, pois precisou de um comportamento pacificador depois de ouvi-la. Isso me levará a me aprofundar nessa área de investigação. É importante que um investigador perceba os comportamentos pacificadores, pois às vezes eles ajudam a revelar uma mentira ou uma informação oculta. Acho que indicadores de respostas pacificadoras são muito mais importantes e confiáveis do que tentar estabelecer a veracidade de uma informação. Eles ajudam a identificar quais assuntos específicos incomodam ou afligem uma pessoa. Frequentemente, conhecê-los pode resultar na revelação de informações que levam a novas ideias.

---

### QUADRO 10: CAPTURADA PELO PESCOÇO

Tocar e/ou acariciar o pescoço é um dos comportamentos pacificadores mais significativos e frequentes que existem como resposta ao estresse. Para buscar conforto, as mulheres costumam cobrir ou tocar a *fenda supraesternal* com a mão (ver Figura 7). A fenda supraesternal é a área oca entre o pomo de adão e o esterno, que às vezes é chamada *covinha do pescoço*. Quando uma mulher toca essa parte ou a cobre com a mão, geralmente é porque está se sentindo angustiada, ameaçada, desconfortável, insegura ou assustada. É uma pista comportamental que pode ser usada para detectar, entre outras coisas, o desconforto de uma pessoa que está mentindo ou ocultando informações importantes.

Certa vez, trabalhei em uma investigação em que achávamos que um fugitivo armado e perigoso estava escondido na casa da mãe. Outro agente e eu fomos à casa da mulher e, quando batemos à porta, ela concordou em nos deixar entrar. Mostramos nosso distintivo e começamos a fazer uma série de perguntas. Quando questionei "Seu filho está em casa?", ela colocou a mão sobre a fenda supraesternal e disse: "Não, ele não está." Observei esse comportamento e continuamos com o interrogatório. Depois de alguns minutos, perguntei: "Existe a possibilidade de seu filho ter entrado furtivamente na casa enquanto você trabalhava?" Mais uma vez, ela colocou a mão na covinha do pescoço e respondeu: "Não, eu saberia se ele estivesse aqui." Agora eu estava confiante de que seu filho estava em casa, porque ela só levava a mão ao pescoço quando eu mencionava essa possibilidade. Para ter certeza de que minha suposição estava correta, continuamos conversando com a mulher até que, enquanto nos preparávamos para sair, fiz uma última tentativa: "Só para finalizar meus registros, você tem *certeza* de que ele não está em casa, não é?" Pela terceira vez, ela levou a mão ao pescoço. Agora eu tinha certeza de que a mulher estava mentindo. Pedi permissão para revistar a casa e, de fato, o rapaz estava escondido em um closet, debaixo de alguns cobertores. Ela teve a sorte de não ser acusada de obstrução da justiça. Seu desconforto ao mentir para a polícia sobre o filho fugitivo fez com que seu sistema límbico gerasse um comportamento pacificador que a denunciou.

## Tipos de comportamento pacificador

Há muitos comportamentos pacificadores. Quando estamos estressados, podemos fazer uma massagem suave para aliviar o pescoço, acariciar o rosto ou mexer no cabelo. Isso é feito automaticamente. Nosso cérebro envia a mensagem "Por favor, me acalme agora", e nossas mãos respondem na hora, fazendo algo que nos ajudará a nos sentir à vontade de novo. Às vezes, buscamos conforto passando a língua nos lábios ou na parte interna das bochechas, ou expirando lentamente com as bochechas infladas (ver Figuras 10 e 11). Se uma pessoa estressada é fumante, ela vai fumar mais; se a pessoa mascar chiclete, ela irá mascá-lo mais rápido. Todos esses comportamentos pacificadores servem ao mesmo propósito: estimular terminações nervosas, liberando endorfinas relaxantes no cérebro, de modo que ele possa se acalmar (Panksepp, 1998, 272).

Vamos considerar como comportamento pacificador qualquer toque no rosto, na cabeça, no pescoço, no ombro, no braço, na mão ou na perna em resposta a um estímulo negativo (por exemplo, uma pergunta difícil, uma

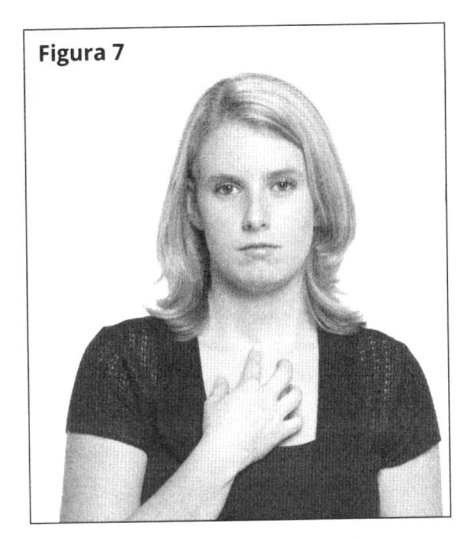

**Figura 7**

Cobrir a covinha do pescoço reduz inseguranças, desconfortos emocionais, medos ou preocupações. Mexer em um colar geralmente serve ao mesmo propósito.

**Figura 8**

Esfregar a mão na testa geralmente é um bom indicador de que uma pessoa está lutando contra algo ou está passando por um desconforto.

**Figura 9**

Tocamos o pescoço quando há desconforto emocional, dúvida ou insegurança.

**Figura 10**

Tocar a bochecha ou o rosto é uma maneira de buscar conforto quando estamos nervosos, irritados ou preocupados.

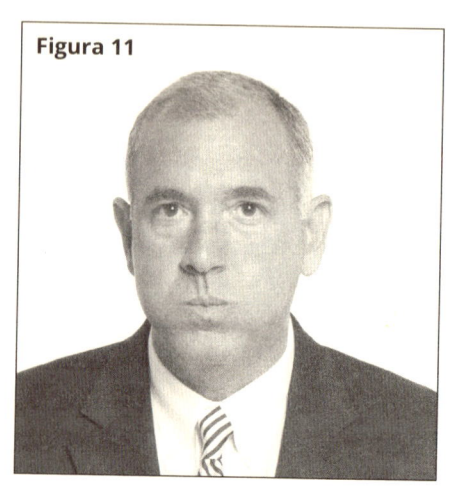

**Figura 11**

Expirar com as bochechas infladas é uma maneira comum de liberar estresse e buscar conforto. Observe que as pessoas costumam fazer isso após um infortúnio.

situação embaraçosa ou um estresse resultante de algo ouvido, visto ou pensado). Esses gestos não resolvem problemas, mas nos ajudam a manter a calma ao executá-los. Em outras palavras, eles nos trazem conforto. Homens preferem tocar rosto. Mulheres preferem tocar pescoço, roupas, joias, braços e cabelo.

Cada pessoa tem seu pacificador favorito, optando por mascar chicletes, fumar cigarros, consumir mais alimentos, lamber os lábios, esfregar o queixo, acariciar o rosto, mexer em objetos (canetas, lápis, batom ou relógios), puxar o cabelo ou coçar o antebraço. Às vezes, o pacificador é ainda mais sutil, como sacudir a camisa ou ajustar a gravata (ver Figura 12). Quando uma pessoa faz isso, parece que está simplesmente se ajeitando, mas na verdade só quer amenizar seu nervosismo movendo o braço e dando às mãos algo para fazer. Esses também são, em última análise, comportamentos pacificadores determinados pelo sistema límbico e exibidos em resposta ao estresse.

**Figura 12**

Os homens ajustam a gravata para lidar com insegurança ou desconforto. A gravata fica sobre a fenda supraesternal.

Apresentamos a seguir alguns dos comportamentos pacificadores mais comuns e evidentes. Ao vê-los, pare e se pergunte: "Por que essa pessoa está precisando se acalmar?" A capacidade de vincular um comportamento pacificador ao estressor específico que o causou pode ajudar você a entender com mais precisão os pensamentos, sentimentos e intenções de uma pessoa.

## Comportamentos pacificadores relativos ao pescoço

Tocar e/ou acariciar o pescoço é um dos comportamentos pacificadores mais significativos e frequentes. Uma pessoa pode esfregar ou massagear a nuca com os dedos; outra pode passar a mão nas laterais do pescoço ou logo abaixo do queixo, acima do pomo de adão, puxando a área carnuda

**Figura 13**

Os homens tendem a massagear ou esfregar o pescoço para aliviar uma tensão. Essa área é rica em terminações nervosas, incluindo o nervo vago, que, quando massageado, diminui a frequência cardíaca.

**Figura 14**

Para lidar com desconforto ou insegurança, os homens normalmente cobrem o pescoço com mais vigor do que as mulheres.

**Figura 15**

Mesmo um breve toque no pescoço servirá para aliviar a ansiedade ou o desconforto. Tocar ou massagear o pescoço é um pacificador poderoso e universal.

do pescoço. Essa área é rica em terminações nervosas que, quando estimuladas, reduzem a pressão arterial, diminuem a frequência cardíaca e acalmam o indivíduo (ver Figuras 13 e 14).

Ao longo das décadas em que estudei comportamentos não verbais, observei que há diferenças na maneira como homens e mulheres usam o pescoço para se acalmar. Normalmente, os homens são mais vigorosos, segurando o pescoço logo abaixo do queixo, estimulando assim os nervos (especificamente os nervos vagos ou o seio carótico) do pescoço, o que, por sua vez, diminui a frequência cardíaca e tem efeito relaxante. Às vezes, os homens esfregam com os dedos as laterais do pescoço ou a nuca, ou ajustam o nó da gravata ou a gola da camisa (ver Figura 15).

As mulheres buscam conforto de maneira diferente. Por exemplo, para estimular o pescoço, às vezes elas tocam, torcem ou manipulam um colar, se estiverem usando um (ver Quadro 11). Como já dito antes, cobrir a fenda supraesternal é outro comportamento pacificador recorrente. As mulheres tocam essa parte do pescoço ou a cobrem quando estão estressadas, inseguras, ameaçadas, assustadas, desconfortáveis ou ansiosas. Curiosamente, observei que as grávidas começam movendo a mão em direção ao pescoço, mas no último momento a desviam para a barriga, como se quisessem proteger o feto.

---

#### QUADRO 11: O PÊNDULO PACIFICADOR

Observe um casal conversando à mesa. Se a mulher começa a mexer no colar, provavelmente está um pouco nervosa. Mas se os dedos estão na covinha do pescoço (fenda supraesternal), é provável que exista uma preocupação ou que ela esteja se sentindo muito insegura. Na maioria dos casos, se a mão direita estiver na fenda supraesternal, a pessoa cobrirá o cotovelo direito com a mão esquerda. Quando a situação estressante termina ou há um intervalo na discussão, a mão direita irá abaixar e relaxar sobre o braço esquerdo dobrado. Se a situação volta a ficar tensa, a mão direita mais uma vez sobe até a fenda supraesternal. À distância, o movimento do braço se parece com a agulha de um medidor de estresse, movendo-se da posição de repouso (no braço) ao pescoço e vice-versa, de acordo com o nível de estresse envolvido.

### Comportamentos pacificadores relativos ao rosto

Tocar ou esfregar o rosto é uma resposta pacificadora frequente que alivia o estresse. Movimentos como coçar a testa; tocar nos lábios, esfregar um no outro ou lambê-los; puxar ou massagear o lóbulo da orelha com o polegar e o indicador; passar a mão no rosto ou na barba; e mexer no cabelo podem ajudar a acalmar um indivíduo em uma situação estressante. Como mencionado antes, algumas pessoas aliviam o estresse expirando lentamente com as bochechas infladas. O suprimento abundante de terminações nervosas no rosto faz com que essa área seja ideal para ser usada pelo cérebro límbico para buscar conforto.

### Comportamentos pacificadores relativos a sons

Assobiar pode ser um comportamento pacificador. Algumas pessoas assobiam para se acalmar quando caminham em uma área estranha da cidade ou por uma rua escura e deserta. Outras até falam consigo mesmas para buscar alívio durante períodos de estresse. Tenho um amigo (e com certeza todos temos um assim) que fala centenas de frases por minuto quando está nervoso ou chateado. Alguns comportamentos pacificadores combinam os fatores tátil e auditivo, como dar batidinhas com um lápis na mesa ou tamborilar os dedos.

### Bocejos em excesso

Às vezes, vemos indivíduos sob estresse bocejando excessivamente. Bocejar não é apenas uma forma de "respirar fundo"; durante o estresse, quando a boca fica seca, um bocejo pode pressionar as glândulas salivares. Retesar as várias estruturas dentro e ao redor da boca faz com que as glândulas liberem umidade para a boca seca durante períodos de ansiedade. Nesses casos, é o estresse, e não a falta de sono, que causa o bocejo.

## Limpeza das pernas

A *limpeza das pernas* é um comportamento pacificador que muitas vezes passa despercebido porque com frequência ocorre sob um balcão ou uma mesa. Essa atividade calmante funciona da seguinte maneira: uma pessoa coloca uma mão (ou as duas) com a palma sobre a perna (ou pernas) e então a desliza pela coxa em direção ao joelho (ver Figura 16). Algumas pessoas fazem esse movimento uma única vez, mas muitas repetem o gesto ou apenas ficam massageando a perna. Isso também pode ser feito para secar as palmas das mãos, caso elas tenham suado por causa da ansiedade, mas principalmente para se livrar da tensão. Vale a pena procurar esse

**Figura 16**
Quando estressadas ou nervosas, as pessoas "limpam" a palma das mãos na coxa para se acalmarem. Frequentemente oculto, uma vez que é executado sob as mesas, é um ato indicativo muito preciso de desconforto ou ansiedade.

comportamento não verbal, porque é um bom indicativo de que alguém está sob estresse. Uma maneira de tentar detectá-lo é observar pessoas que colocam um ou os dois braços embaixo da mesa. Se a pessoa estiver fazendo uma limpeza das pernas, normalmente você verá o ombro se movendo à medida que ela esfrega a perna.

Pela minha experiência, concluí que a limpeza das pernas é muito importante, pois ocorre rapidamente em reação a um evento negativo. Observei esse comportamento por anos em casos em que os suspeitos foram apresentados a provas condenatórias, como fotos da cena de um crime com a qual eles já estavam familiarizados (reconhecimento de culpa). Esse *comportamento pacificador/de limpeza* realiza duas coisas ao mesmo tempo: seca o suor das palmas das mãos e proporciona alívio por meio do toque. Você também pode detectá-lo quando um casal sentado é incomodado ou interrompido por uma pessoa indesejável, ou quando alguém se esforça para lembrar um nome.

No meio policial, é possível ver comportamentos pacificadores das mãos/pernas em acareações, por exemplo, quando o interrogado vai emitindo muito mais sinais conforme surgem perguntas difíceis. Um aumento na quantidade ou no vigor dos comportamentos de limpeza das pernas é um indicador muito bom de que uma pergunta causou algum tipo de desconforto à pessoa, seja porque ela reconhece a culpa, porque está mentindo ou porque você está chegando a um assunto que ela não quer discutir (ver Quadro 12). O comportamento também pode ocorrer porque o interrogado está aflito com as respostas que esperam que ele dê às perguntas. Portanto, fique de olho no que acontece embaixo da mesa monitorando o movimento dos braços. Você se surpreenderá com a quantidade de coisas que consegue coletar desses comportamentos.

Uma advertência sobre limpeza das pernas: embora certamente seja detectada em pessoas que estão sendo dissimuladas, também a observei em indivíduos inocentes que simplesmente estavam nervosos; portanto, tome cuidado para não tirar conclusões precipitadas (Frank et al., 2006, 248-249). A melhor maneira de interpretar o comportamento de limpeza das pernas é reconhecer que ele reflete a necessidade do cérebro de transmitir alívio, e, portanto, as razões para o nervosismo do indivíduo devem ser investigadas mais a fundo.

**Figura 17**

Ventilar a área do pescoço alivia o estresse e o desconforto emocional. Rodney Dangerfield, o comediante, ficou famoso por fazer isso quando era "desrespeitado".

## O ventilador

Esse comportamento envolve uma pessoa (geralmente um homem) colocando os dedos entre o colarinho da camisa e o pescoço e afastando o tecido da pele (ver Figura 17). Essa *ação de ventilação* costuma ser uma reação ao estresse e é um bom indicador de que a pessoa está incomodada com algo em que está pensando ou que está acontecendo em seu ambiente. Uma pessoa com uma blusa mais decotada ou de cabelo grande consegue realizar essa atividade não verbal de maneira mais sutil, ventilando apenas a frente da blusa ou jogando o cabelo para trás a fim de ventilar o pescoço.

---

QUADRO 12: **DO FACEBOOK AO DISGRACEBOOK**

Tudo estava indo bem durante uma entrevista de emprego até que, quase no final, o candidato começou a falar sobre networking e a importância da internet. O empregador o elogiou por esse comentário e fez uma observação sobre como a maioria dos universitários usava a internet de maneira destrutiva, usando sites como o Facebook para postar mensagens e fotos que poderiam prejudicar a pessoa futuramente. Nesse momento, o empregador percebeu que o candidato fez uma vigorosa limpeza de perna, esfregando a mão direita ao longo da coxa várias vezes. O empregador não disse nada na hora, agradeceu ao jovem pela entrevista e o levou para fora do escritório. Ele então foi ao computador – sua suspeita foi despertada pelo comportamento pacificador do candidato – e verificou se o jovem tinha perfil no Facebook. E, como seria de esperar, realmente tinha. E não era nada agradável!

### O abraço em si mesmo

Ao enfrentar situações estressantes, algumas pessoas cruzam os braços e esfregam as mãos nos ombros, como se sentissem um calafrio. Quando uma pessoa emprega esse comportamento pacificador, ela está manifestando uma reminiscência da maneira como uma mãe abraça uma criança pequena. É uma ação protetora e relaxante que adotamos para nos acalmar quando queremos nos sentir seguros. No entanto, se a pessoa estiver com os braços cruzados, inclinando-se para a frente e olhando de modo desafiador, isso *não* é um comportamento pacificador!

## USANDO PACIFICADORES PARA ANALISAR AS PESSOAS DE MANEIRA MAIS EFICAZ

Para conhecer melhor uma pessoa por meio de comportamentos pacificadores não verbais, existem algumas diretrizes que você precisa seguir:
1. Reconhecer os comportamentos pacificadores no momento em que eles ocorrerem; apresentei todos os principais. À medida que você faz um esforço conjunto para detectar esses sinais corporais, fica muito mais fácil detectá-los nas outras pessoas.

2. Estabelecer o comportamento pacificador padrão de um indivíduo. Dessa forma, você consegue observar qualquer alteração de frequência ou intensidade nos comportamentos pacificadores dessa pessoa e então reagir de acordo.
3. Ao ver uma pessoa fazer um gesto pacificador, pare e se pergunte: "O que a levou a fazer isso?" É fato que o indivíduo está se sentindo desconfortável com alguma coisa. Seu trabalho, como coletor de inteligência não verbal, é descobrir que coisa é essa.
4. Entender que os comportamentos pacificadores quase sempre são usados para acalmar uma pessoa depois que um evento estressante ocorre. Assim, como princípio geral, você pode supor que, se um indivíduo exibe um comportamento pacificador, é porque algum evento ou estímulo estressante o precedeu.
5. A capacidade de vincular um comportamento pacificador ao estressor específico que o causou pode ajudá-lo a entender melhor a pessoa com quem você está interagindo.
6. Em certos casos, você pode até dizer ou fazer algo para ver se isso causa estresse em um indivíduo (o que provoca maior incidência de comportamentos pacificadores) para entender melhor seus pensamentos e intenções.
7. Observe qual parte do corpo a pessoa usa para executar um comportamento pacificador. Isso é significativo, porque quanto maior o estresse, mais ela vai estimular o rosto ou o pescoço.
8. Lembre-se: quanto maior o estresse ou o desconforto, maior a probabilidade de ocorrerem comportamentos pacificadores.

Comportamentos pacificadores são uma ótima maneira de avaliar o conforto e o desconforto. De certo modo, são "agentes de suporte" de nossas reações límbicas. E ainda revelam muito sobre nosso estado emocional e sobre como estamos de fato nos sentindo.

## UMA ÚLTIMA NOTA SOBRE NOSSO LEGADO LÍMBICO

Agora você tem informações que a maioria das pessoas desconhece. Está ciente de que temos um mecanismo de sobrevivência muito eficiente (congelar, fugir, lutar) e um sistema pacificador para lidar com o estresse. Temos a sorte de possuir esses mecanismos, não apenas para nossa sobrevivência e nosso sucesso, mas também para avaliar os sentimentos e pensamentos de outras pessoas.

Neste capítulo, também aprendemos que (com exceção de certos reflexos) todos os comportamentos são controlados pelo cérebro. Examinamos dois dos três principais "cérebros" de nossa caixa craniana – o cérebro neocórtex pensante e o cérebro límbico, mais automático – e quais as diferenças entre os papéis que executam. Ambos desempenham funções importantes. Porém, para nossos propósitos, o sistema límbico é mais importante porque é o cérebro mais honesto – responsável por produzir os sinais não verbais mais significativos para determinar pensamentos e sentimentos verdadeiros (Ratey, 2001, 147-242).

Agora que sabe o básico sobre como o cérebro reage ao mundo, você deve estar se perguntando se é fácil detectar e decodificar comportamentos não verbais. Essa é uma dúvida frequente. A resposta é sim *e* não. Depois de ler este livro, alguns sinais corporais ficarão mais claros. Eles literalmente clamam por atenção. Por outro lado, existem muitos aspectos da linguagem corporal que são mais sutis e, portanto, mais difíceis de detectar. Vamos focar os comportamentos mais óbvios e os mais sutis que o cérebro límbico faz o corpo executar. Com o tempo e a prática, decodificá-los se tornará natural, como olhar para os dois lados antes de atravessar uma rua movimentada. Isso nos leva aos comportamentos de pernas e pés, que são o ponto focal de nossa atenção no próximo capítulo.

# TRÊS

# Tomando pé das coisas

## Comportamentos não verbais dos pés e das pernas

No primeiro capítulo, pedi que você adivinhasse qual é a parte mais honesta do corpo – a que mais provavelmente revela as intenções reais de uma pessoa e, portanto, é o local ideal onde procurar sinais não verbais que reflitam com precisão o que ela está pensando. Isso pode surpreendê-lo, mas a resposta é: os pés! Isso mesmo: os pés, e também as pernas, ganham o prêmio de mais sinceridade.

Agora vou explicar como avaliar os sentimentos e intenções dos outros focando o movimento dos pés e das pernas. Além disso, você aprenderá a procurar sinais reveladores que ajudam a descobrir o que acontece embaixo da mesa, mesmo quando você não puder observar diretamente os membros inferiores. Antes, porém, quero compartilhar por que os pés são a parte mais honesta do corpo, sendo ótimos indicadores dos sentimentos e intenções reais das pessoas.

## UMA NOTA EVOLUCIONÁRIA SOBRE O PÉ

Há milhares de anos, os pés e as pernas têm sido o principal meio de locomoção da espécie humana. Eles são fundamentais para deslocamentos, fugas e sobrevivência. A partir do momento em que nossos ancestrais começaram a andar eretos pelas pradarias da África, o pé humano nos levou, literalmente, aos quatro cantos do mundo. Maravilhas da biologia, nossos pés nos permitem sentir, andar, nos virar, correr, girar, nos equilibrar, chutar, escalar, brincar, segurar e até escrever. E, embora não sejam tão eficientes quanto nossas mãos em determinadas tarefas (não temos um dedão do pé opositor), como Leonardo da Vinci uma vez comentou, nossos pés e o que eles podem realizar são a definição do que seria uma "engenharia" sofisticada (Morris, 1985, 239).

O escritor e zoólogo Desmond Morris também observou que nossos pés comunicam exatamente o que pensamos e sentimos com mais honestidade do que qualquer outra parte do corpo (Morris, 1985, 244). Por que os pés e as pernas refletem nossos sentimentos de modo tão preciso? Durante milhares de anos, muito antes de os humanos começarem a falar, essas partes do corpo reagiam a ameaças ambientais (por exemplo, areia quente, serpentes sinuosas, leões mal-humorados) na hora, sem a necessidade de pensamento consciente. O cérebro límbico garantia que nossos pés e pernas reagissem conforme necessário, fosse interrompendo o movimento, fugindo ou chutando uma potencial ameaça. Esse instinto de sobrevivência serviu muito bem aos nossos ancestrais e se mantém até hoje nas pessoas. De fato, essas reações milenares continuam tão intrínsecas em nós que, quando somos apresentados a algo perigoso ou apenas desagradável, nossos pés e pernas ainda reagem como nos tempos pré-históricos. Primeiro eles congelam, então tentam se distanciar e, por fim, se não houver mais nenhuma alternativa disponível, se preparam para lutar e chutar.

Esse mecanismo de congelar, fugir ou lutar não requer um processamento cognitivo complexo. É reativo. Esse importante desenvolvimento evolutivo beneficiou o indivíduo e o grupo. Os seres humanos sobreviveram vendo uma ameaça e reagindo a ela simultaneamente ou reagindo às ações vigilantes de outras pessoas, comportando-se de acordo. Quando um grupo era ameaçado, quer todos tivessem visto o perigo ou não, seus membros conseguiam reagir em sincronia apenas observando os movimentos uns dos outros. No mundo contemporâneo, soldados em patrulha fixam a atenção no batedor. Quando ele congela, todos congelam. Quando ele sai da estrada, seus seguidores também se escondem. Quando ele percebe uma emboscada, eles reagem da mesma forma. Esses comportamentos salva-vidas de grupo mudaram muito pouco em 350 mil anos.

A capacidade de se comunicar de maneira não verbal garantiu a sobrevivência de nossa espécie, e, apesar de cobrirmos as pernas com roupas e os pés com sapatos, os membros inferiores continuam a reagir não apenas a ameaças e estressores, mas também a emoções negativas *e* positivas. Assim, nossos pés e pernas transmitem informações sobre o que estamos percebendo, pensando e sentindo. A dança e os pulos de hoje em dia são extensões da exuberância das comemorações dos humanos milhares de anos atrás após uma caçada bem-sucedida. Sejam eles guerreiros massai pulando bem alto ou casais dançando freneticamente, em todo o mundo os pés e as pernas comunicam felicidade. Nós até ficamos batendo os pés em uníssono para que nosso time saiba que estamos torcendo por ele.

Há inúmeras outras evidências desses "sentimentos dos pés" em nossa vida cotidiana. Por exemplo, observe uma criança para entender definitivamente a honestidade dos pés. Ela pode estar sentada para comer, mas, se tiver vontade de sair e brincar, repare como os pés balançam, como eles se esticam para alcançar o chão mesmo quando a criança ainda não terminou a refeição. Os pais podem tentar mantê-la no lugar, mas os pés vão apontar para longe da mesa. O pai amoroso pode segurar o tronco dela, mas ela contorcerá as pernas e os pés insistentemente em direção à porta – um reflexo preciso de aonde ela quer ir. Isso é um sinal de intenção. É claro que adultos evitam essas demonstrações límbicas, embora bem pouco.

## A PARTE MAIS HONESTA DO NOSSO CORPO

Para analisar a linguagem corporal, a maioria dos indivíduos começa pela parte superior (o rosto) e só então passa para os membros inferiores de uma pessoa, apesar de o rosto ser usado com mais frequência para blefar e ocultar sentimentos. Minha análise começa no lado oposto. Depois de realizar milhares de entrevistas para o FBI, aprendi a focar primeiro os pés e pernas do suspeito, para só então observar a parte superior até chegar ao rosto. A chance de haver manifestações honestas vai *diminuindo* à medida que percorremos o caminho dos pés à cabeça. Infelizmente, a literatura sobre questões de segurança ao longo dos últimos 60 anos, incluindo algumas obras contemporâneas, enfatizou o foco facial ao realizar entrevistas ou tentar analisar pessoas. Para complicar ainda mais uma análise realista, é fato que a maioria dos interrogadores permite que os interrogados fiquem com pés e pernas sob bancadas ou mesas, ou seja, ocultos.

Se você pensar um pouco, vai conseguir concluir que há uma boa razão para a natureza dissimulada de nossas expressões faciais. Mentimos com o rosto porque aprendemos a fazer isso desde a infância. "Não faça essa cara feia", resmungam nossos pais quando reagimos honestamente à comida colocada na nossa frente. "Pelo menos *finja* que está feliz quando seus primos nos visitarem", instruem eles, e você aprende a dar um sorriso forçado. Nossos pais – e a sociedade –, em essência, dizem para ocultar, dissimular e mentir com o rosto em favor da harmonia social. Portanto, não é de surpreender nossa tendência a sermos muito bons nisso, tão bons que, de fato, quando simulamos um semblante feliz em uma reunião de família, pode parecer que adoramos nossos parentes, quando, na realidade, estamos pensando em formas de apressar sua partida.

Pense nisso. Se não fosse possível controlar expressões faciais, por que o termo *cara de paisagem* teria algum significado? Sabemos fazer *cara de paisagem*, mas poucos prestam atenção nos próprios pés e pernas, quanto menos nos dos outros. Nervosismo, estresse, medo, ansiedade, cautela, tédio, inquietação, felicidade, alegria, mágoa, timidez, recato, humildade, constrangimento, autoconfiança, subserviência, depressão, letargia, jovialidade, sensualidade e raiva podem se manifestar por meio de pés e pernas. Um toque significativo de pernas entre amantes, os pés tímidos de um garoto que não conhece seus interlocutores, a postura de raiva, o nervosismo de um pai que espera o nascimento do filho – tudo isso sinaliza nosso estado emocional e pode ser facilmente observado em tempo real.

Se você quer decodificar o mundo ao seu redor e interpretar comportamentos com precisão, observe os pés e as pernas; eles são verdadeiramente excepcionais e honestos quanto às informações que transmitem. Para se coletar inteligência não verbal, os membros inferiores devem ser vistos como uma parte significativa de todo o corpo.

## COMPORTAMENTOS NÃO VERBAIS SIGNIFICATIVOS RELATIVOS A PÉS E PERNAS

### Pés felizes

*Pés felizes* são pés e pernas que balançam e/ou saltam de alegria. Quando as pessoas repentinamente exibem pés felizes – principalmente se isso ocorre logo após terem ouvido ou visto algo significativo –, é porque foram afetadas de uma maneira emocional positiva. Pés felizes são um *sinal de elevada autoconfiança*, um indício de que uma pessoa sente que está obtendo o que deseja ou que está em posição vantajosa para ganhar algo de valor (ver Quadro 13). Amantes que se veem após um longo tempo separados ficam com os pés felizes quando se encontram no aeroporto.

Você não precisa olhar embaixo da mesa para ver pés felizes. Basta observar a camisa ou os ombros de alguém. Se ele (ou ela) estiver balançando os pés ou batendo com eles no chão, a camisa e os ombros estarão vibrando ou se movendo para cima e para baixo. Esses movimentos não são excessivamente exagerados; na verdade, são bem sutis. Mas, se prestar atenção, você conseguirá discerni-los.

Tente você mesmo replicar esse comportamento. Sente-se em uma cadeira em frente a um espelho de corpo inteiro e comece a balançar os pés ou a bater com eles no chão. Ao fazer isso, você vai ver sua camisa ou seus ombros se mexerem. Se você não ficar bem atento ao observar acima da mesa esses sinais reveladores de comportamento dos membros inferiores, talvez não os perceba. Mas, se estiver disposto a dedicar tempo e esforço a essa tarefa, você conseguirá detectá-los. O segredo para usar pés felizes como um sinal não verbal eficaz é perceber antes o comportamento padrão dos pés de uma pessoa e então observar as mudanças repentinas que ocorrerem (ver Quadro 14).

Cabem aqui duas advertências. Primeiro, como em todo comportamento não verbal, pés felizes devem ser entendidos no contexto para determinar se representam um sinal verdadeiro ou apenas muito nervosismo. Por exemplo, se uma pessoa tem as pernas naturalmente agitadas (um tipo de síndrome das pernas inquietas), então pode ser difícil distinguir pés felizes do reflexo de nervosismo de uma pessoa. Mas se esse comportamento se repetir cada vez mais ou se os pés se agitarem com mais intensidade, sobretudo logo após uma pessoa ouvir ou testemunhar algo significativo, entenda isso como um sinal potencial de que agora ela se sente mais confiante e satisfeita com o estado atual das coisas.

## QUADRO 13: PÉS FELIZES SIGNIFICAM QUE A VIDA É AGRADÁVEL

Há algum tempo, eu estava assistindo a um torneio de pôquer na televisão e vi um homem fazer um *flush* (uma "mão" forte). Abaixo da mesa, os pés dele estavam frenéticos! Balançavam para a frente e para trás e se agitavam como os pés de uma criança que acabou de saber que vai para a Disney. O semblante do jogador era firme, ele parecia calmo, mas perto do chão havia muito movimento! Enquanto isso, eu acenava para a TV e pedia que os outros jogadores mostrassem as cartas e saíssem do jogo. Pena que eles não conseguiam me ouvir, porque dois deles pagaram para ver e perderam dinheiro com a mão imbatível do homem.

Esse jogador aprendeu a blefar muito bem. Obviamente, porém, ele ainda tem um longo caminho a percorrer, pois não consegue neutralizar o comportamento dos pés. Felizmente para ele, seus oponentes – como a maioria das pessoas – passaram a vida inteira ignorando três quartos do corpo humano (do tórax para baixo), sem prestar atenção nos sinais ou indícios não verbais cruciais que podem ser encontrados aí.

Salas de pôquer não são o único lugar onde você vê pés felizes. Eu já os vi em muitas salas de reuniões e de diretoria, e em quase todos os outros lugares. Enquanto escrevia este capítulo, eu estava no aeroporto e ouvi uma jovem mãe sentada ao meu lado enquanto falava ao celular com pessoas da família. A princípio, os pés dela estavam fixos no chão, mas, quando o filho telefonou, os pés começaram a se movimentar para cima e para baixo de forma efusiva. Não foi necessário que ela me dissesse como se sentia em relação ao filho ou sobre a prioridade que ele tem na vida dela. Os pés informaram isso.

Lembre que, quer você esteja jogando cartas, negociando ou simplesmente conversando com amigos, pés felizes são uma das maneiras mais honestas de seu cérebro exclamar com sinceridade: "Estou feliz!"

## QUADRO 14: UM SINAL DOS PÉS

Julie, executiva de recursos humanos de uma grande corporação, me contou que começou a perceber o comportamento dos pés depois de assistir a um de meus seminários para bancários. Ela utilizou bem seu novo conhecimento apenas alguns dias após retornar ao trabalho. "Eu era responsável por selecionar funcionários da empresa para ocuparem cargos no exterior", explicou. "Quando perguntei a uma potencial candidata se ela toparia mudar de país, ela respondeu com os pés balançando e um afirmativo 'Sim!'. Mas quando mencionei que ela teria que ir para Mumbai, na Índia, seus pés pararam completamente. Notando a mudança nesse comportamento não verbal, perguntei por que ela não queria ir para lá. A candidata ficou espantada. 'Deu para reparar? Eu não disse *nada*. Alguém contou algo para você?', perguntou ela sobressaltada. Eu disse à mulher que tinha 'percebido' que ela não havia gostado do possível novo local de trabalho. 'Você está certa', admitiu ela, 'pensei que estava sendo considerada para Hong Kong, onde tenho alguns amigos.' Ficou óbvio que ela não queria ir para a Índia, e seus pés não deixaram dúvidas a respeito de seus sentimentos sobre o assunto."

Segundo, mover pés e pernas pode significar simplesmente impaciência. Geralmente, movimentamos nossos pés para a frente e para trás quando estamos impacientes ou sentimos necessidade de acelerar algum processo. Observe uma sala de aula cheia de alunos e perceba quantos pés e pernas balançam e chutam durante todo o tempo. Na maioria das vezes, isso é um bom indicativo de impaciência e necessidade de adiantar as coisas, *não* de pés felizes. Esse comportamento se intensifica quando a aula está prestes a terminar. Talvez os alunos estejam tentando dizer algo.

### Quando os pés mudam de direção, especialmente se aproximando ou se afastando de uma pessoa ou um objeto

Tendemos a nos voltar para coisas de que gostamos, e isso inclui as pessoas com quem interagimos. De fato, podemos usar essa informação para determinar se os outros estão felizes em nos ver ou preferem ficar sozinhos. Suponha que você esteja se aproximando de duas pessoas conversando. Você já as conhece e quer se juntar a elas, então se aproxima e diz "Oi". O problema é que você não tem certeza se elas realmente querem sua companhia. Há uma maneira de descobrir? Sim. Observe o comportamento dos pés e do tronco. Se elas moverem os pés junto com o tronco em sua direção, então a recepção é completa e genuína. Mas se elas não moverem os pés para lhe dar boas-vindas nem girarem os quadris para dizer olá, é porque preferem ficar sozinhas.

Da mesma forma, costumamos nos afastar de coisas de que não gostamos. Estudos sobre comportamento em tribunais revelam que, quando os jurados não gostam de uma testemunha, eles viram os pés para a saída mais próxima (Dimitrius & Mazzarella, 2002, 193). Da cintura para cima, os jurados enfrentam a testemunha educadamente, mas viram os pés para a "rota de fuga" natural – como a porta que leva à saída ou à sala do júri.

O que é verdade para os jurados em um tribunal também vale para todas as outras interações. Quando estamos conversando com uma pessoa, a parte de nós que vai dos quadris até o rosto está virada para o interlocutor. Mas se estamos descontentes com a conversa, nossos pés apontam para a saída mais próxima. Quando uma pessoa vira os pés, normalmente é um sinal de *desinteresse*, um desejo de se distanciar de onde o interlocutor está posicionado. Ao conversar com uma pessoa, observe se ela afasta os pés de você de maneira gradual ou repentina e você descobrirá sua receptividade. Por que o comportamento ocorreu? Às vezes, a pessoa está atrasada para um compromisso e realmente precisa ir; em outras, é um sinal de que a pessoa não quer mais estar perto de você. Talvez você tenha dito algo ofensivo ou feito algo irritante. Virar os pés indica que a pessoa quer partir (ver Figura 18). Então agora depende de você – com base nas circunstâncias em torno do comportamento – determinar *por que* o indivíduo está ansioso para ir embora (ver Quadro 15).

## QUADRO 15: COMO OS PÉS DIZEM ADEUS

Quando duas pessoas conversam, normalmente elas falam de igual para igual. Se, porém, um dos indivíduos afastar um pouco os pés ou mover repetidamente um pé (os dois pés formando um L, com um deles na sua direção), pode ter certeza de que ele quer ir embora ou preferia estar em outro lugar. Esse tipo de comportamento é outro exemplo de um sinal de intenção (Givens, 2005, 60-61). A pessoa pode até permanecer com o tronco voltado para você por educação e regras sociais, mas os pés refletem mais honestamente a necessidade ou o desejo de fuga do cérebro límbico (ver Figura 18).

Certa vez, passei quase cinco horas com um cliente. No final da reunião, começamos a repassar o que havíamos discutido naquele dia. Embora nossa conversa tenha sido muito amistosa, percebi que meu cliente mantinha um dos pés formando um ângulo reto com o outro, aparentemente querendo partir. Naquele momento, perguntei: "Você precisa sair agora?" "Sim", admitiu ele. "Sinto muito. Não quis ser rude, mas preciso telefonar para Londres e só tenho cinco minutos!" Eis um caso em que a linguagem de meu cliente e a maior parte do corpo dele só revelaram sentimentos positivos. Os pés dele, porém, foram muito mais honestos e

**Figura 18**

O movimento do pé de apontar e se afastar durante uma conversa indica que a pessoa precisa sair exatamente na direção em que o pé aponta. Isso é um sinal de intenção.

claramente me informaram que o homem queria ficar, mas o dever o estava chamando.

---

## Mãos apertando os joelhos

Há outros exemplos de *movimentos de intenção* das pernas associados a um indivíduo que quer sair de onde está. Observe uma pessoa sentada com as duas mãos nos joelhos, apertando-os (ver Figura 19). Isso é um sinal muito claro de que ela já resolveu o que precisava na reunião e quer partir. Geralmente, esse gesto é seguido por uma inclinação para a frente ou um deslocamento da parte inferior do corpo até a borda da cadeira, ambos movimentos de intenção. Ao observar esses sinais, principalmente quando eles vêm de alguém hierarquicamente superior a você, é hora de terminar a interação; seja inteligente e não perca tempo.

**Figura 19**

Apertar os joelhos e alternar o peso entre os pés é um sinal de intenção de que a pessoa quer se levantar e ir embora.

## Comportamentos dos pés que desafiam a gravidade

Quando estamos felizes e radiantes, parece que flutuamos por aí. É isso que acontece quando amantes ficam encantados por estarem um com o outro, ou quando crianças ficam ansiosas para entrar em um parque de diversões. A gravidade parece não existir para quem está empolgado. Esses comportamentos ficam bastante evidentes e, mesmo assim, todos os dias, *comportamentos que desafiam a gravidade* aparentemente passam despercebidos.

Quando estamos animados com alguma coisa ou nos sentindo muito otimistas, nossa tendência é desafiar a gravidade fazendo coisas como ficar na ponta dos pés várias vezes ou andar quase que saltitando. Isso, mais uma vez, é o cérebro límbico se manifestando em nossos comportamentos não verbais.

Certa vez, eu observava uma pessoa falando ao celular. Enquanto ouvia, seu pé esquerdo, que estava fixo no chão, mudou de posição. O calcanhar permaneceu no chão, mas o restante do pé se moveu para cima, de tal modo que a ponta do pé ficou virada para o céu (ver Figura 20). Uma pessoa comum não teria percebido esse comportamento nem o teria considerado insignificante. Mas um observador treinado decodifica facilmente esse comportamento que desafia a gravidade, que pode significar que o homem ao telefone acabou de ouvir algo positivo. Tanto é assim que, ao passar na frente dele, eu o ouvi dizer: "Sério? Isso é fantástico!" Os pés dele já haviam dito silenciosamente a mesma coisa.

Mesmo imóvel, uma pessoa contando uma história pode assumir uma postura que a faça ficar mais alta, elevando-se para enfatizar alguns pontos, e pode fazer isso repetidamente. Isso ocorre de forma inconsciente; portanto, esses comportamentos de se elevar são sinais muito honestos, porque tendem a ser expressões verdadeiras da emoção correspondente à parte da história. Eles aparecem em tempo real junto com a narrativa e relacionam os sentimentos às palavras dessa narrativa. Assim como movemos os pés no ritmo de uma música de que gostamos, também movemos os pés e pernas de acordo com algo positivo que dizemos.

**Figura 20**

Quando o pé aponta para cima, como nessa fotografia, isso geralmente significa que a pessoa está de bom humor ou pensando em algo positivo.

Curiosamente, pessoas que sofrem de depressão clínica raramente executam comportamentos de pés e pernas que desafiam a gravidade. O corpo reflete precisamente o estado emocional do indivíduo. Portanto, quando as pessoas estão empolgadas, a tendência é ver muitos outros comportamentos que desafiam a gravidade.

É possível forçar comportamentos que desafiam a gravidade? Suponho que sim, sobretudo se forem desempenhados por atores muito bons ou por mentirosos crônicos, mas as pessoas comuns simplesmente não sabem como regular seus comportamentos límbicos. Ao tentar controlar suas reações límbicas ou comportamentos que desafiam a gravidade, as pessoas parecem artificiais. O gesto acaba soando muito passivo ou comedido para a situação ou não expressa entusiasmo suficiente. Uma saudação falsa feita com o braço levantado simplesmente não convence. Parece falsa porque os braços não ficam levantados por muito tempo, e geralmente os cotovelos estão curvados. O gesto mostra todos os indícios de ser artificial. Os comportamentos que desafiam a gravidade, quando acontecem de forma espontânea, geralmente são um termômetro muito bom do estado emocional positivo de uma pessoa.

Um tipo de comportamento que desafia a gravidade que pode ser muito informativo para um observador perspicaz é conhecido como *posição de partida* (ver Figura 21). Os pés passam de uma posição de repouso (fixa no chão) para uma posição de "partida", com o calcanhar elevado e o peso na ponta dos pés. É um sinal de intenção informando que a pessoa está se preparando para *fazer* algo físico, exigindo o movimento do pé. Isso pode significar que o indivíduo pretende envolvê-lo em alguma outra tarefa, que está realmente interessado no assunto ou que quer ir embora. Como em todos os sinais de intenção não verbais, depois de saber que uma pessoa está prestes a fazer algo, você precisa considerar o contexto e aquilo que você conhece sobre o indivíduo para fazer a melhor previsão possível de qual será o próximo movimento do seu interlocutor.

## Abertura das pernas

Os comportamentos de pés e pernas mais inconfundíveis e facilmente identificáveis são as *demonstrações territoriais*. A maioria dos mamíferos, humanos ou não, torna-se territorial quando fica estressada ou incomodada, quando é ameaçada ou, inversamente, quando está ameaçando. Em todos esses casos, eles exibirão comportamentos indicando que estão tentando restabelecer o controle da situação e do território. Profissionais de segurança e militares apresentam esses comportamentos porque estão acostumados a estar no comando. Às vezes, eles tentam superar um ao outro, e isso se torna até ridículo à medida que cada um tenta abrir as pernas mais do que os colegas em uma tentativa inconsciente de marcar mais território.

**Figura 21**

Quando os pés passam de uma posição fixa no chão para uma de "partida", o sinal de intenção pode ser de que a pessoa quer ir embora.

Quando as pessoas se veem em situações de confronto, as pernas se abrem, não apenas para conseguir mais equilíbrio, mas também para marcar território. Ao se deparar com esse comportamento, um observador cuidadoso recebe uma mensagem muito forte de que, no mínimo, há algum problema acontecendo ou que há potencial para um contratempo. Quando duas pessoas estão de pé e discordando entre si, elas nunca cruzarão as pernas, para que não percam o equilíbrio. O cérebro límbico simplesmente não deixa isso acontecer.

Se notar que uma pessoa afastou um pé do outro, é bem provável que ela esteja ficando cada vez mais infeliz. A mensagem enviada por essa postura dominante é muito clara: "Algo está errado e estou pronto para lidar com isso." A abertura das pernas como comportamento territorial sinaliza que há muita chance de os ânimos se exaltarem; portanto, se você observar ou usar esse tipo de comportamento não verbal, prepare-se para possíveis problemas.

Como geralmente as pessoas assumem uma postura com as pernas mais abertas quando uma discussão se intensifica, digo a executivos e profissionais de segurança que uma maneira de impedir um confronto é evitar o uso dessa demonstração territorial. Quando ficamos nessa posição durante uma conversa acalorada e imediatamente juntamos as pernas, isso geralmente melhora os ânimos no confronto e reduz a tensão.

Alguns anos atrás, enquanto eu realizava um seminário, uma mulher na plateia falou sobre como o ex-marido costumava intimidá-la durante uma discussão, permanecendo parado na porta de casa com as pernas afastadas, bloqueando a saída. Esse tipo de comportamento não deve ser encarado de maneira leviana. Ele ressoa visual e visceralmente e pode ser usado para controlar, intimidar e ameaçar. De fato, predadores (psicopatas e antissociais, por exemplo) geralmente afastam as pernas em conjunto com o comportamento de olhar nos olhos para controlar os outros. Como um presidiário disse certa vez, "aqui, tudo depende da sua postura, de qual posição adotamos, do que damos a entender. Não podemos parecer fracos nem por um momento". Acredito que, em qualquer lugar em que possamos encontrar predadores, devemos estar cientes de nossa postura e nossa posição.

É claro que há momentos em que pode ser vantajoso afastar as pernas, especificamente quando você quer estabelecer autoridade e controle sobre os outros por uma boa razão. Tive que ensinar mulheres policiais a usar o afastamento das pernas para estabelecer uma postura mais agressiva ao lidar com multidões indisciplinadas. Ficar em pé com os pés juntos (que é interpretado como submissão) envia um sinal errado a um possível antagonista. Ao afastar os pés, as policiais assumem uma postura mais dominante do tipo "Estou no comando", que será percebida como mais autoritária e, assim, as ajudará a serem mais eficazes no controle de indivíduos indisciplinados. Você pode enfatizar para um filho adolescente o que pensa sobre tabagismo sem elevar a voz, mas usando uma demonstração territorial.

## O imperativo territorial

Ao discutir afastamento das pernas e comportamentos territoriais, devemos reconhecer o trabalho de Edward Hall, que estudou o uso do espaço por seres humanos e outros animais. Quando estudou o que ele denominou *imperativo territorial*, ele conseguiu documentar nossas necessidades espaciais, que chamou de *proxêmica* (Hall, 1969). Hall concluiu que quanto mais privilegiados somos do ponto de vista socioeconômico ou hierárquico, mais território exigimos. Ele também observou que as pessoas que ocupam mais espaço (território) em suas atividades diárias também tendem a ser mais seguras, mais autoconfiantes e, obviamente, mais propensas a ter um status elevado. Esse fenômeno se repetiu ao longo da história da humanidade e na maioria das culturas. De fato, os conquistadores testemunharam isso quando chegaram ao Novo Mundo. Uma vez aqui, eles viram nas pessoas nativas das Américas as mesmas demonstrações territoriais que haviam visto na corte da rainha Isabel; ou seja, a realeza – em qualquer país – pode comandar e se permitir ter mais espaço (Diaz, 1988).

Embora CEOs, presidentes e indivíduos de status elevado possam reivindicar mais espaço, fazer isso não é tão fácil para o restante de nós. Todos nós, porém, somos muito protetores do nosso espaço pessoal, independentemente do tamanho. Não gostamos quando as pessoas se aproximam muito. Em sua pesquisa, Edward Hall indicou que nossa demanda por espaço tem origem pessoal e cultural. Quando violam esse espaço, temos reações límbicas poderosas indicativas de estresse. Ficamos hipervigilantes: nossa pulsação dispara e podemos até enrubescer (Knapp & Hall, 2002, 146-147). Pense em como você se sente quando alguém se aproxima demais, seja em um elevador lotado ou ao usar um caixa eletrônico. Mencionei esses problemas de espaço para que, da próxima vez que alguém se aproximar demais ou você violar o espaço de uma pessoa, você esteja ciente da estimulação límbica negativa que ocorrerá.

### Demonstrações de grande bem-estar com pés/pernas

A observação cuidadosa dos pés e pernas pode ajudá-lo a determinar quanto você se sente à vontade com alguém e vice-versa. *Cruzar as pernas* é um termômetro particularmente preciso do seu grau de conforto diante de outra pessoa; não dispomos as pernas dessa forma se nos sentirmos desconfortáveis (ver Figura 22). Também cruzamos as pernas na presença de outras pessoas quando estamos nos sentindo seguros – e segurança colabora para o bem-estar. Vamos examinar por que isso é um comportamento honesto e revelador.

Se estiver em pé e cruzar uma perna na frente da outra, você reduzirá significativamente o próprio equilíbrio. Do ponto de vista da segurança, se houvesse uma ameaça real, você não conseguiria se congelar com muita facilidade nem fugir porque, nessa posição, você está equilibrado praticamente em um pé só. Por essa razão, o cérebro límbico só permite executar esse comportamento quando nos sentimos à vontade e seguros. Se uma pessoa estiver em pé sozinha em um elevador com uma perna cruzada na frente da outra e um estranho entrar ali, ela imediatamente irá descruzar as pernas e travar os dois pés firmemente no chão. Isso é um sinal de que o cérebro límbico está dizendo: "Não corra riscos; você pode precisar lidar com uma ameaça ou um problema em potencial agora, então fixe os dois pés no chão!"

**Figura 22**

Normalmente cruzamos as pernas quando nos sentimos à vontade. O surgimento de alguém de quem não gostamos fará com que as descruzemos.

Quando vejo dois colegas conversando e ambos estão com as pernas cruzadas, sei que estão à vontade um com o outro. Primeiro, porque isso mostra um *espelhamento* de comportamento entre dois indivíduos (um sinal de bem-estar conhecido como *isopraxismo*), e, segundo, porque cruzar as pernas é uma demonstração de intenso bem-estar (ver Figura 23). Esse comportamento não verbal pode ser usado em relacionamentos interpessoais para que a outra pessoa saiba que está tudo bem entre vocês dois, tão bem que você pode até se dar ao luxo de relaxar totalmente (limbicamente) na frente desse indivíduo. Cruzar as pernas, então, é uma ótima maneira de comunicar um sentimento positivo.

Certa vez participei de uma festa em Coral Gables, Flórida, onde fui apresentado a duas mulheres, ambas com uns 60 anos de idade. Enquanto conversávamos, uma das mulheres de repente cruzou as pernas, de modo a ficar com um pé virado em direção à amiga. Comentei: "Vocês devem se conhecer há muito tempo." O rosto e os olhos delas se iluminaram, e uma perguntou como eu tinha descoberto isso. Respondi: "Embora estivessem na presença de um estranho, uma de vocês cruzou as pernas com

**Figura 23**

Quando duas pessoas estão conversando e ambas cruzam as pernas, isso é uma indicação de que elas estão muito à vontade entre si.

o pé apontando para a outra. Isso é muito incomum, a menos que vocês realmente se gostem e confiem uma na outra." As duas riram, e uma brincou: "Você também lê mentes?" Eu abri um sorriso e respondi que não. Depois de explicar o que havia denunciado a amizade de muito tempo delas, uma das mulheres confirmou que se conheciam desde que estavam no ensino fundamental em Cuba nos anos 1940. Mais uma vez, cruzar as pernas provou-se ser um termômetro preciso dos sentimentos humanos.

Eis uma característica interessante sobre o ato de cruzar as pernas. Geralmente fazemos isso inconscientemente para indicar a pessoa de que gostamos mais em determinado ambiente. Em outras palavras, cruzamos as pernas de maneira a nos inclinarmos em direção à nossa pessoa favorita. Isso pode fornecer algumas revelações interessantes durante reuniões de família. Em famílias em que há vários filhos, não é incomum que o pai ou a mãe revele sua preferência por um deles cruzando as pernas em direção à criança que preferem.

Repare que alguns criminosos, quando planejam algum delito, encostam-se contra uma parede com as pernas cruzadas ao verem a polícia passando, fingindo estar à vontade. Como esse comportamento vai contra a ameaça que o cérebro límbico está sentindo, esses criminosos geralmente não mantêm essa pose por muito tempo. Policiais experientes conseguem detectar logo que esses indivíduos estão sendo dissimulados, mas pessoas com o olhar destreinado podem achar, de forma equivocada, que os bandidos são só mais um na multidão.

## Comportamento de pés/pernas durante a corte

Em interações sociais de bem-estar intenso, os pés e as pernas espelham os movimentos da outra pessoa com quem estamos (isopraxismo) e permanecem espontâneos. De fato, em situações de flerte em que ambos estão extremamente à vontade, os pés também envolvem a outra pessoa por meio de toques ou carícias sutis nos pés (ver Quadro 16).

---

### QUADRO 16: UM APOIO PARA O ROMANCE

Uma vez eu estava em Los Angeles dando treinamento em comunicações não verbais a um cliente que trabalha na indústria televisiva. Ele fez a gentileza de me levar para jantar em um restaurante mexicano popular perto de sua casa. Enquanto estávamos lá, ele quis continuar aprendendo linguagem corporal e apontou para um casal sentado a uma mesa próxima. Ele perguntou: "Com base no que vê, você acha que eles se dão bem?" Então percebemos que, a princípio, eles estavam se inclinando um em direção ao outro, mas, à medida que a conversa avançava, os dois se recostaram nas cadeiras, afastados um do outro, sem falar muito. Meu cliente pensou que as coisas não estavam indo bem entre eles. Alertei: "Não olhe apenas para cima, também acontecem coisas debaixo da mesa." Isso foi fácil, pois não havia toalha de mesa ou outro obstáculo bloqueando a visão do todo. "Perceba como os pés estão muito próximos um do outro", falei. Se eles não estivessem entrosados, os pés não estariam tão próximos. O cérebro límbico simplesmente não permitiria que isso acontecesse. Agora o cliente também se concentrava na parte de baixo da mesa, e notamos que de vez em quando o casal tocava ou roçava o pé de um no do outro e nenhuma perna se contraía. "Esse comportamento é importante", observei. "Mostra que eles ainda se sentem conectados." Quando o casal se levantou para sair, o homem passou o braço pela cintura da mulher e eles saíram sem dizer mais uma palavra. Os sinais não verbais disseram tudo, embora não estivessem em clima de conversa.

Se você já se perguntou por que há tanta perna flertando debaixo de mesas ou dentro de piscinas, eis a resposta: é provável que isso esteja relacionado a dois fenômenos. Primeiro, quando partes do nosso corpo estão fora do ângulo de visão, como sob uma mesa, dentro d'água ou embaixo de cobertas, parece até que nem existem. Todos nós já vimos pessoas nadando em uma piscina como se ninguém estivesse olhando. Segundo, nossos pés contêm um número enorme de receptores sensoriais, que terminam em uma área do cérebro próxima ao local em que as sensações da genitália são registradas (Givens, 2005, 92-93). As pessoas brincam com os pés sob a mesa porque isso produz uma boa sensação e pode ser sexualmente muito excitante. Por outro lado, quando não gostamos de alguém ou não nos sentimos próximos a essa pessoa, imediatamente afastamos os pés caso se toquem de maneira acidental embaixo da mesa. Um sinal muito claro de que um relacionamento está esfriando e que os casais com frequência não percebem é que progressivamente passa a haver menos toques dos pés entre os dois.

---

Durante um encontro, e principalmente quando está sentada, uma mulher costuma brincar com os sapatos e deixá-los pendendo da ponta dos dedos dos pés quando ela se sente à vontade com o companheiro. No entanto, a mulher vai se ajeitar rapidamente se passar a se sentir desconfortável. Um potencial pretendente pode fazer uma análise muito boa de como as coisas estão com base nesse comportamento de "brincar com o sapato". Se, ao se aproximar de uma mulher (ou depois de conversar com ela por um tempo), ela ajustar o sapato de volta no pé, e especialmente se ela se afastar um pouco do pretendente e até pegar a bolsa, bem, na linguagem do futebol, é provável que o rapaz esteja dando uma bola fora. Mesmo que uma mulher não esteja tocando o pretendente com o pé, esse tipo de brincadeira com o sapato é movimento, e movimento chama atenção. Portanto, esse comportamento não verbal diz "Repare em mim", que é exatamente o oposto da resposta de congelamento e é parte do *reflexo de orientação* que é instintivo e nos aproxima das coisas e pessoas de que

**Figura 24**

Nesta foto, o homem cruzou a perna direita de modo que o joelho funcione como uma barreira entre ele e a mulher.

**Figura 25**

Nesta foto, o homem posicionou a perna de modo que o joelho ficou mais distante, removendo barreiras entre ele e a mulher.

gostamos ou que desejamos e nos afasta daquelas coisas que achamos ruins, duvidosas ou incertas.

Cruzar as pernas em posição sentada também é revelador. Quando as pessoas se sentam lado a lado, a direção das pernas cruzadas se torna um sinal. Se os interlocutores têm uma boa relação, a perna cruzada de um apontará em direção ao outro. Se um *não* gostar de um tema abordado pelo companheiro, ele mudará a posição das pernas de modo que a coxa se torne uma barreira entre os dois (ver Figuras 24 e 25). Esse comportamento de bloqueio é outro exemplo significativo do cérebro límbico nos protegendo. Se as duas partes se sentarem e cruzarem as pernas da mesma maneira, então haverá harmonia.

### Nossa necessidade de espaço

Você já se perguntou qual foi a primeira impressão que causou em alguém? Se uma pessoa parece já gostar de você ou se, em vez disso, pode haver dificuldades à vista? Uma maneira de descobrir isso é usando a abordagem "cumprimente e espere". Eis como funciona.

É especialmente importante observar o comportamento dos pés e pernas quando você é apresentado a alguma pessoa. Ele revela muito sobre o que ela está achando de você. Pessoalmente, quando conheço alguém, geralmente me inclino, dou um aperto firme de mão (dependendo das normas culturais apropriadas à situação), faço contato visual constante e, em seguida, dou um passo para trás e vejo o que acontece. Em geral, ocorre uma destas três coisas: (a) a pessoa permanece no lugar, o que me permite saber se está à vontade nessa distância; (b) a pessoa dá um passo para trás ou se afasta um pouco, o que me permite saber que ela precisa de mais espaço ou que preferia estar em outro lugar; ou (c) a pessoa se aproxima de mim, o que significa que está à vontade na minha presença ou que é favorável a mim. Não me ofendo quanto ao comportamento da pessoa porque estou simplesmente usando essa oportunidade para ver como ela de fato se sente em relação a mim.

Lembre-se de que os pés são a parte mais honesta do corpo. Se uma pessoa precisa de espaço extra, não me oponho a ceder. Se ela estiver à vontade, não preciso me preocupar em lidar com um problema de proximidade.

Se alguém se aproxima de mim, sei que está se sentindo à vontade. Essa é uma informação útil em qualquer ambiente social, mas também lembra que você deve estabelecer limites quanto ao que faz *você* se sentir à vontade quando se trata de espaço.

### Jeito de andar

Quando se trata de pés e pernas, eu seria negligente se não mencionasse os sinais não verbais emitidos por diferentes jeitos de andar. Segundo Desmond Morris, os cientistas reconhecem aproximadamente 40 formas de andar (Morris, 1985, 229-230). Se achar muito, lembre-se do modo de andar destas pessoas: Charlie Chaplin, John Wayne, Mae West ou Groucho Marx.

Cada um desses atores tinha um estilo de andar particular, que revelava, em parte, a personalidade deles. A maneira como andamos geralmente reflete nosso humor e nossa atitude. Podemos andar rápido e com passos firmes, ou lentamente e de forma um tanto desorientada. Nosso modo de andar pode ser rápido, devagar, descontraído, preguiçoso, cansado, arrastado, altivo, saltitante, ou podemos mancar, dançar, marchar, desfilar, andar na ponta dos pés, etc., só para citar apenas alguns dos estilos de caminhada reconhecidos (Morris, 1985, 233-235).

Para observadores de comportamentos não verbais, esses estilos de andar são importantes porque as mudanças na maneira como as pessoas geralmente andam podem refletir alterações em seus pensamentos e emoções. Uma pessoa que normalmente é feliz e gregária pode mudar repentinamente o jeito de andar se é informada de que algo ruim aconteceu a um ente querido. Notícias ruins ou trágicas podem fazer com que uma pessoa saia desesperada correndo de uma sala para ajudar ou de modo apático, como se o peso do mundo estivesse sobre seus ombros.

Mudanças desse tipo são importantes porque sinalizam que alguma coisa pode estar errada, que um problema pode estar prestes a acontecer, que as circunstâncias podem ter mudado – em resumo, que algo significativo pode ter ocorrido. E sobretudo que precisamos avaliar *por que* o modo de andar da pessoa mudou de repente, até porque essa informação geralmente pode nos ajudar a lidar de maneira mais eficaz com esse indivíduo nas próximas interações. O modo como uma pessoa caminha pode ajudar a detectar coisas que ela nem sabe que está revelando (ver Quadro 17).

### Pés cooperativos *versus* não cooperativos

Se estiver lidando com uma pessoa que socializa ou coopera com você, os pés dela devem refletir os seus. Mas se alguém estiver com rosto e tronco voltados para você, porém com os pés apontando para outra direção, pergunte-se por quê. Apesar da direção do corpo, isso não é um perfil de cooperação genuíno e é indicativo de várias coisas que devem ser exploradas. Essa postura reflete a necessidade da pessoa de ir embora logo, desinteresse pelo que está sendo discutido, má vontade em cooperar ou falta de comprometimento com o que está sendo dito. Observe que, quando alguém que não conhecemos se aproxima de nós na rua, geralmente direcionamos para a pessoa apenas a nossa parte que vai dos quadris para cima, mas mantemos os pés apontados na direção do movimento que queremos retomar. A mensagem que estamos enviando é que socialmente prestarei atenção por um breve momento; pessoalmente, estou preparado para continuar meu caminho de antes ou escapar.

---

#### QUADRO 17: **CRIMINOSOS NA MULTIDÃO**

Nem sempre os criminosos percebem quanta informação eles revelam. Quando trabalhava em Nova York, meus colegas agentes e eu frequentemente observávamos "predadores" na rua tentando se misturar à multidão. Um dos comportamentos que os denunciavam era o fato de caminharem no lado interno da calçada apertando mais ou menos o passo enquanto olhavam desinteressadamente para vitrines. Quando vai a algum lugar, a maioria das pessoas tem uma tarefa a realizar, e assim caminha com um propósito. Predadores (assaltantes, traficantes de drogas, ladrões, vigaristas) ficam à espreita, à espera da próxima vítima; portanto, sua postura e seu ritmo são diferentes. Eles andam sem uma direção fixa até que estejam prestes a atacar. Quando um predador se aproxima, seja um pedinte ou assaltante, o desconforto que você sente ocorre por causa dos cálculos que o cérebro límbico realiza para tentar impedir que você seja o próximo alvo. Portanto, se estiver em uma cidade grande, fique de olho nos predadores. Se vir uma pessoa que pareça estar andando sem um propósito e que de repente comece a caminhar na sua direção, cuidado! Melhor ainda, caia fora – o mais rápido possível. Mesmo que tenha acabado de perceber isso acontecendo, ouça sua voz interior (De Becker, 1997, 133).

---

Ao longo dos anos, treinei inspetores aduaneiros nos Estados Unidos e no exterior. Aprendi muitíssimo com eles, e espero que tenham aprendido algo comigo. Uma das coisas que ensinei foi a procurar passageiros que se dirigem ao agente para fazer a declaração aduaneira (ver Figura 26) enquanto os pés continuam apontando para a saída. Embora eles simplesmente possam estar com pressa para pegar um voo, o agente deve suspeitar desse comportamento. Em estudos, descobrimos que pessoas que dizem "Não tenho nada a declarar", mas mantêm os pés apontando para a saída têm mais chances de estar escondendo algo que deveriam ter declarado. Em essência, elas se mostram prestativas, as palavras são firmes, mas os pés revelam que não estão sendo tão cooperativas assim.

**Figura 26**

Quando uma pessoa fala com você com os pés apontando para outra direção, isso é um bom indicativo de que ela quer estar em outro lugar. Preste atenção em pessoas que fazem declarações formais nessa posição, pois é uma forma de distanciamento.

## Mudança significativa na intensidade do movimento dos pés e/ou pernas

Mover as pernas é normal; algumas pessoas fazem isso o tempo todo, outras, nunca. Não é necessariamente indicativo de que a pessoa está mentindo – como alguns acreditam equivocadamente –, pois pessoas tanto honestas quanto desonestas executam esse gesto. O principal fator a considerar é em que ponto esses comportamentos começam ou mudam de intensidade. Por exemplo, anos atrás, Barbara Walters estava entrevistando Kim Basinger antes de uma cerimônia de premiação do Oscar, e Kim estava concorrendo nesse dia. Durante a entrevista, Kim Basinger sacudia os pés, e suas mãos pareciam muito nervosas. Quando Barbara Walters começou a perguntar à atriz sobre algumas dificuldades financeiras e um investimento questionável em nome dela e do seu então marido, ela passou a dar pequenos chutes. Foi instantâneo e ficou nítido. Mais uma vez, isso não significa que ela estava mentindo ou pretendia mentir, mas foi claramente uma reação visceral a um estímulo negativo (a pergunta feita) e refletiu seu desprezo pela pergunta.

De acordo com o Dr. Joe Kulis, sempre que uma pessoa sentada balançando o pé passa a dar pequenos chutes no ar, isso é um indicador muito bom de que ela viu ou ouviu algo negativo e não está feliz com isso (ver Figura 27). Enquanto balançar o pé pode ser uma demonstração de

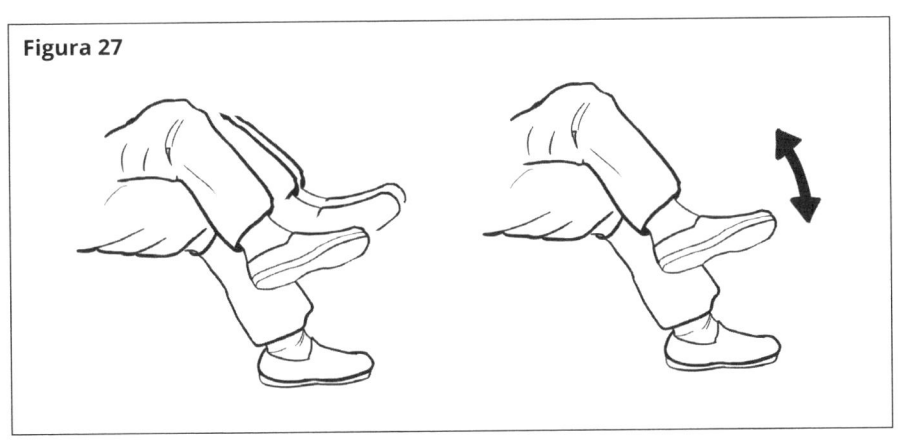

**Figura 27**

Quando um pé começa a chutar de repente, geralmente isso é um bom indicador de mal-estar. Vemos isso quando as pessoas são entrevistadas e não gostam de alguma pergunta que é feita.

nervosismo, dar chutes é uma maneira inconsciente de combater algo desagradável. A beleza desse comportamento é que ele é automático, e a maioria das pessoas nem percebe que está fazendo isso. Você pode usar esse sinal corporal não verbal a seu favor perguntando coisas que incitarão a *resposta da perna chutando* (ou qualquer outra mudança drástica em sinais não verbais) para determinar quais perguntas ou assuntos são problemáticos. Dessa maneira, até fatos ocultos podem ser extraídos das pessoas, quer elas respondam oralmente ou não à pergunta (ver Quadro 18).

---

### QUADRO 18: ESQUEÇA BONNIE, DESCUBRA CLYDE

Eu me lembro nitidamente de um interrogatório que realizei com uma suposta testemunha de um crime grave. Por horas o depoimento não levava a lugar nenhum; foi frustrante e entediante. A entrevistada não revelava comportamentos significativos; no entanto, notei que ela balançava o pé o tempo todo. Como era um movimento relativamente constante, só passei a observá-lo com atenção quando fiz a pergunta "Você conhece o Clyde?". Isso porque, imediatamente após ouvir essa questão, e embora ela não tenha respondido (pelo menos não verbalmente), a mulher passou a dar chutes no ar em vez de apenas balançar os pés. Foi um indício óbvio de que esse nome exercia um efeito negativo sobre ela. Em interrogatórios posteriores, ela mais tarde admitiu que "Clyde" a havia envolvido no roubo de documentos do governo de uma base na Alemanha. Sua reação de balançar a perna foi um sinal importante de que havia algo mais a explorar, e, por fim, sua confissão provou que a suspeita estava correta. Ironicamente, esse comportamento traidor provavelmente a fez querer chutar a si mesma, pois acabou lhe custando 25 anos em uma prisão federal.

## Pés congelados

Se uma pessoa balança ou sacode constantemente os pés ou pernas e para de repente, você precisa passar a prestar atenção. Isso geralmente significa que ela está estressada, passando por uma mudança emocional ou se sentindo ameaçada de alguma forma. Pergunte-se por que o sistema límbico da pessoa colocou os instintos de sobrevivência dela no modo de "congelamento". Talvez alguma pergunta a tenha feito revelar informações que ela não queria que você tivesse. Possivelmente, ela fez algo e receia que você descubra isso. Os *pés congelados* são outro exemplo de uma resposta controlada pelo sistema límbico, a tendência de um indivíduo de interromper uma atividade diante de um perigo.

## Pés travados e depois liberados

Quando um indivíduo de repente vira os pés para dentro ou os trava cruzados debaixo da cadeira, isso é um sinal de que ele está inseguro, ansioso e/ou se sentindo ameaçado. Ao interrogar suspeitos de crimes, muitas vezes percebo que eles travam os pés e os tornozelos quando estão sob estresse. Inúmeras pessoas, especialmente mulheres, foram ensinadas a se sentar dessa maneira, sobretudo ao usar saia (ver Figura 28). Mas travar os tornozelos assim, especialmente por um período de tempo prolongado, não é natural e deve ser considerado suspeito, principalmente se os tornozelos forem de um homem.

Travar os tornozelos também é parte da resposta límbica ao

**Figura 28**

Travar as pernas cruzadas de repente pode indicar desconforto ou insegurança. Quando as pessoas estão à vontade, elas tendem a ficar com os tornozelos destravados.

**Figura 29**

Travar repentinamente os tornozelos ao redor das pernas de uma cadeira faz parte da resposta ao congelamento e é indicativo de mal-estar, ansiedade ou preocupação.

congelamento diante de uma ameaça. Observadores experientes em comportamentos não verbais prestam atenção no congelamento de pés de pessoas que estão mentindo em um interrogatório; eles ficam travados de um jeito que restringe o movimento. Isso é consistente com pesquisas que indicam que as pessoas tendem a restringir os movimentos dos braços e das pernas quando estão mentindo (Vrij, 2003, 24-27). Dito isso, quero alertá-lo de que a falta de movimento não é indicativo apenas de dissimulação, mas também de autolimitação e cautela, e indivíduos nervosos e mentirosos a utilizam para amenizar suas preocupações.

Algumas pessoas vão um passo além: travam os pés ao redor das pernas da cadeira (ver a Figura 29). É um *comportamento contido* (congelamento) que informa, mais uma vez, que algo está incomodando a pessoa (ver Quadro 19).

---

### QUADRO 19: PÉS TRAVADOS E MÃOS MOLHADAS

Você deve estar sempre atento a vários sinais (grupos de sinais ou indícios) que apontam para a mesma conclusão comportamental. Eles reforçam a probabilidade de sua conclusão estar correta. No caso do travamento dos pés, observe o indivíduo que trava os pés ao redor das pernas da cadeira e então move a mão ao longo da coxa (como se estivesse secando a mão na roupa). Travar os pés é uma resposta de congelamento e friccionar as pernas é um comportamento pacificador. Os dois, juntos, tornam mais provável que a pessoa tenha sido exposta; ela teme que algo que fez tenha sido descoberto e está estressada por causa disso.

---

Às vezes, uma pessoa sinaliza o estresse tentando esconder completamente os próprios pés. Ao conversar com alguém, observe se ele move os pés da frente para debaixo da cadeira. Ainda não há pesquisas científicas para documentar o que estou prestes a dizer, mas ao longo dos anos venho observando que, quando uma pergunta é feita sob forte estresse, o interrogado costuma ocultar os pés embaixo da cadeira, o que pode ser visto como uma reação distanciadora que tem a função de minimizar a área exposta do corpo. Esse sinal pode demonstrar mal-estar em relação a problemas específicos e ajudar a direcionar o interrogatório investigativo. Enquanto o observador analisa, o interrogado – por meio dos pés e pernas – informará coisas sobre as quais não deseja conversar. À medida que o tema muda e se torna menos estressante, os pés emergem novamente, expressando o alívio do cérebro límbico pelo fato de não estarem mais falando sobre o tema estressante.

## RESUMINDO

Como vêm sendo fundamentais para nossa sobrevivência ao longo da evolução humana, os pés e pernas são as partes mais honestas do nosso corpo.

Nossos membros inferiores fornecem as informações mais precisas e verídicas a um observador alerta. Usadas com habilidade, essas informações podem ajudá-lo a fazer uma análise melhor de outras pessoas em todos os tipos de cenário. Ao combinar seu conhecimento dos comportamentos não verbais dos pés e pernas com sinais de outras partes do corpo, você se torna ainda mais capaz de entender o que as pessoas estão pensando, sentindo ou pretendendo fazer. Portanto, agora vamos voltar nossa atenção para essas outras partes do corpo. Próxima parada, o tronco humano.

QUATRO

# Sinais do tronco

Comportamentos não verbais de abdome, quadris, tórax e ombros

Neste capítulo, abordaremos quadris, abdome, tórax e ombros, cujo conjunto é chamado de *tronco* ou *torso*. Como ocorre com pernas e pés, muitos dos comportamentos associados ao tronco refletem os sentimentos verdadeiros do cérebro emocional (límbico). Uma vez que o tronco abriga muitos órgãos internos vitais, como coração, pulmões, fígado e trato digestivo, podemos pressupor que o cérebro vai procurar proteger diligentemente essa área quando ameaçada ou desafiada. Em momentos de perigo, real ou presumido, o cérebro recruta o restante do corpo para proteger esses órgãos cruciais de inúmeras maneiras, que variam das mais sutis às mais óbvias. Vamos analisar alguns dos sinais não verbais mais comuns do tronco e alguns exemplos de como esses comportamentos projetam o que acontece no cérebro – particularmente no cérebro límbico.

## COMPORTAMENTOS NÃO VERBAIS SIGNIFICATIVOS ENVOLVENDO ABDOME, QUADRIS, TÓRAX E OMBROS

### Tronco inclinado

Como a maioria das partes do corpo, o tronco reagirá aos perigos percebidos tentando se distanciar de qualquer coisa estressante ou indesejada. Por exemplo, quando um objeto é jogado contra nós, nosso sistema límbico envia sinais ao tronco para se afastar de pronto dessa ameaça. É comum que isso aconteça independentemente da natureza do objeto; se percebemos movimento em nossa direção, nós nos afastamos, seja de uma bola ou de um carro em movimento.

De maneira semelhante, quando um indivíduo está ao lado de alguém que é desagradável ou de quem não gosta, ele inclina o tronco para longe desse indivíduo (ver Quadro 20). Como essa parte sustenta grande percentual de nosso peso e o transmite para os membros inferiores, qualquer reorientação requer energia e equilíbrio. Portanto, quando alguém afasta o tronco de algo, é porque o cérebro exigiu isso; assim, podemos contar com a honestidade dessas reações. Esforço e energia extras são necessários para sustentar esses gestos. Tente manter conscientemente uma posição fora do centro, curvando-se ou afastando-se, e você descobrirá que seu corpo logo vai se cansar. Mas quando esse comportamento é realizado porque o cérebro decide inconscientemente que é necessário, você dificilmente perceberá que o está executando.

Nós nos distanciamos não apenas das pessoas que nos deixam desconfortáveis, como também de objetos ou coisas que não nos agradam. Pouco depois da inauguração, levei minha filha ao Museu do Holocausto em Washington, D.C., algo que todos deveriam fazer. Ao andar pelo local repleto de peças memoráveis, fiquei observando como jovens e velhos se aproximavam de cada objeto exposto. Alguns olhavam bem de perto, inclinando-se e tentando absorver todas as nuances. Outros se aproximavam hesitantes, enquanto uns se mantinham perto e então começavam a se afastar lentamente à medida que a desumanidade do regime nazista invadia seus sentidos. Alguns, atordoados com a perversidade que estavam testemunhando, giravam 180 graus e viravam o rosto para outro lado, esperando os amigos terminarem de examinar a peça. O cérebro deles dizia "Não consigo lidar com isso", e então o corpo se afastava. A espécie humana evoluiu a tal ponto que não apenas tendemos a nos afastar de uma pessoa de quem não gostamos, como até imagens de coisas desagradáveis, como fotografias, podem fazer o tronco se inclinar.

QUADRO 20: **INTELIGENTE OU ESTRANHO?**

Anos atrás, eu trabalhava no FBI em Nova York. Durante minha permanência lá, tive inúmeras oportunidades de andar de trem e metrô dentro e fora da cidade. Não demorei muito para reconhecer as muitas técnicas que as pessoas adotavam para reivindicar território ao utilizar o transporte público. Sempre havia alguém sentado que balançava o corpo de um lado para outro para se impor sobre os outros, ou, se estivesse de pé, movia os braços enquanto se segurava em uma das alças para apoio. Esses indivíduos sempre pareciam possuir mais espaço ao seu redor porque ninguém queria se aproximar deles. Quando forçadas a se sentar ou ficar ao lado desses "esquisitos", as pessoas afastavam o tronco o máximo possível de modo a não encostar neles. Você precisa andar de metrô em uma metrópole para visualizar isso. Estou convencido de que alguns passageiros agiam de maneira estranha e exageravam os movimentos justamente para manter as pessoas afastadas, longe de seu tronco. De fato, um antigo morador de Nova York me disse uma vez: "Se você quer manter as hordas afastadas, finja-se de louco!" Talvez ele estivesse certo.

Como um observador cuidadoso do comportamento humano, você precisa estar ciente de que o distanciamento pode ocorrer de maneira abrupta ou muito sutil; uma simples mudança no ângulo corporal é suficiente para expressar sentimentos negativos. Por exemplo, casais que estão se afastando emocionalmente também vão começar a se separar fisicamente. Suas mãos passam a não se tocar muito, e o tronco de cada um de fato evita o do outro. Quando se sentam lado a lado, eles se inclinam na direção oposta. Criam um espaço silencioso entre si e, quando se veem forçados a ficar próximos, como na parte traseira de um automóvel, giram apenas a cabeça em direção ao outro, não o corpo.

## Negação ventral e exposição ventral

Os movimentos do tronco que refletem a necessidade do cérebro límbico de evitar e se distanciar são indicadores muito bons dos sentimentos verdadeiros. Quando uma pessoa sente que algo está errado em seu relacionamento, é provável que esteja percebendo um grau sutil de distanciamento físico em relação ao parceiro. O distanciamento também pode assumir a forma do que chamo *negação ventral*. Nosso lado ventral (frontal), onde ficam olhos, boca, tórax, peito, órgãos genitais, etc., é muito sensível a coisas de que gostamos ou não. Quando as coisas vão bem, dirigimos nosso lado ventral àquilo de que somos a favor, incluindo as pessoas que nos fazem sentir bem. Quando as coisas vão mal, os relacionamentos mudam ou mesmo quando não concordamos com algum posicionamento, nós acabamos executando a negação ventral, girando o corpo ou nos afastando. O lado ventral é o mais vulnerável do corpo, então o cérebro límbico tem uma necessidade inerente de protegê-lo das coisas que nos machucam ou incomodam. É por isso que, por exemplo, imediata e inconscientemente começamos a virar um pouco para o lado quando alguém de quem não gostamos se aproxima de nós em uma festa. Quando se trata de um relacionamento amoroso, um aumento na negação ventral é um dos melhores indicadores de que o casal vem enfrentando problemas.

Informações visuais fazem o cérebro límbico reagir, e conversas que consideramos desagradáveis surtem o mesmo efeito. Assista a qualquer programa de entrevistas na TV e perceba como os convidados se afastam um do outro caso apresentem argumentos contrários entre si. Certa vez, eu estava assistindo aos debates presidenciais dos republicanos e observei que, embora os candidatos mantivessem uma grande distância entre si, eles se afastavam ainda mais quando surgiam opiniões das quais discordavam.

O oposto da negação ventral é a demonstração ventral, ou – como gosto de chamar – *exposição ventral*. Exibimos nosso lado ventral àqueles de quem gostamos. Quando nossos filhos correm até nós para um abraço, tiramos da frente objetos, e até nossos braços, para poder lhes dar total acesso ao nosso lado ventral. Expomos esse lado porque é onde sentimos mais calor humano e bem-estar. De fato, usamos a expressão *virar as costas* para demonstrar negatividade em relação a algo ou alguém, porque oferecemos nosso lado ventral para as pessoas de quem gostamos e nossas costas para aquelas de quem não gostamos.

Da mesma forma, quando inclinamos o tronco e os ombros na direção de algo é porque estamos confortáveis na situação. Em salas de aula, não é incomum ver alunos se inclinando em direção ao professor favorito sem perceber que estão se curvando para a frente, quase caindo da cadeira, atentos a cada palavra. Sabe aquela cena do filme *Indiana Jones e os caçadores da Arca Perdida* em que os alunos se inclinam para ouvir o professor? Esse comportamento não verbal indica claramente que eles o admiram.

Pessoas apaixonadas se debruçam sobre mesas de café, com os rostos se aproximando para obter um contato visual mais estreito. Elas expõem seu lado ventral, onde ficam suas partes mais vulneráveis. Essa é uma resposta evolutiva natural do cérebro límbico que tem benefícios sociais. Quando nos aproximamos de algo ou alguém expondo nosso lado ventral (mais fraco), mostramos que estamos dispostos a nos entregar de maneira irrestrita. Retribuir esse gesto por meio de espelhamento, ou isopraxismo, demonstra harmonia social, recompensando a intimidade e mostrando que o comportamento foi apreciado.

Comportamentos límbicos não verbais do tronco, como inclinação, distanciamento e exposição ou negação ventral, acontecem o tempo todo em salas de diretoria e reuniões. Colegas que compartilham um ponto de vista semelhante se sentam mais próximos, voltam-se mais um para o outro e se inclinam de forma harmoniosa um em direção ao outro. Quando as pessoas discordam, elas mantêm o corpo firme, evitam expor o lado ventral (a menos que sejam desafiadas) e provavelmente se afastam umas das outras (ver Figuras 30 e 31). Esse comportamento inconscientemente diz aos outros: "Não concordo com sua ideia." Como todos os sinais não verbais, esses gestos precisam ser analisados no contexto. Por exemplo, pessoas novas em um emprego podem parecer rígidas e inflexíveis em uma reunião. Em vez de refletir desagrado ou inconformidade, essa postura rígida e os gestos limitados do braço podem simplesmente indicar que elas estão nervosas em um novo ambiente.

Não apenas podemos usar essas informações para analisar a linguagem corporal de outras pessoas, como também devemos sempre lembrar que estamos projetando nossos comportamentos não verbais. Durante conversas

**Figura 30**

As pessoas se inclinam uma para a outra quando se sentem
à vontade e concordam entre si. Esse espelhamento, ou
isopraxismo, começa quando somos bebês.

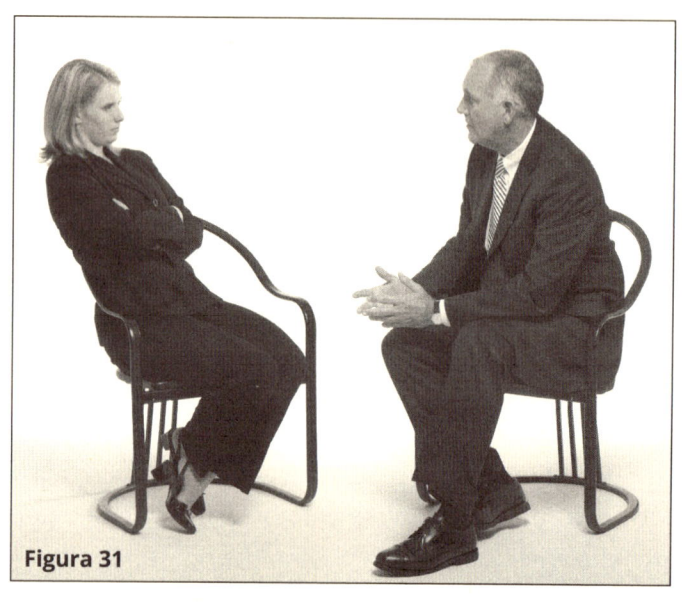

**Figura 31**

Iremos nos afastar de coisas e pessoas de quem não
gostamos, e até dos colegas quando eles disserem coisas
com as quais não concordamos.

ou reuniões, à medida que informações e opiniões fluem, nossos sentimentos sobre notícias e pontos de vista também fluem e se refletem em nosso comportamento não verbal. Se ouvimos algo desagradável em um momento e algo favorável no próximo, nosso corpo refletirá essa mudança de sentimentos.

Uma maneira muito poderosa de fazer com que outras pessoas saibam que você concorda com elas, ou que está prestando atenção no que estão dizendo, é inclinar-se na direção delas ou expor seu lado ventral. Essa tática é especialmente eficaz quando você está em uma reunião e não tem a oportunidade de se expressar oralmente.

## Tronco protegido

Quando é impraticável ou socialmente inaceitável nos afastarmos de algo ou alguém de que não gostamos, geralmente nosso inconsciente nos faz usar objetos ou nossos braços para que funcionem como barreiras (ver Figura 32). Roupas ou objetos próximos (ver Quadro 21) também servem ao mesmo objetivo. Por exemplo, um empresário pode de súbito decidir abotoar o paletó ao falar com alguém que o deixa desconfortável, e então desabotoá-lo assim que a conversa terminar.

**Figura 32**
Um súbito cruzamento dos braços durante uma conversa pode indicar mal-estar.

## QUADRO 21: **CONVERSA DE TRAVESSEIRO**

Quando vemos indivíduos protegendo o tronco, podemos supor que eles não estão à vontade ou que perceberam algum tipo de situação ameaçadora ou perigosa. Em 1992, trabalhando no FBI, conversei com um jovem e seu pai em um quarto de hotel na área de Boston. O pai concordou, com relutância, em trazer o jovem para o interrogatório. Enquanto estava sentado no sofá do hotel, o jovem pegou um dos travesseiros e o segurou perto do tórax durante a maior parte das três horas que passamos juntos. Apesar da presença do pai, esse jovem se sentia vulnerável e, portanto, precisava agarrar firmemente um "cobertor de segurança". Embora a barreira fosse apenas um travesseiro, ela deve ter sido bastante eficaz, porque simplesmente não consegui fazer com que ele revelasse alguma coisa. Achei impressionante que, quando o tema era neutro, como seu envolvimento com esportes, ele deixava o travesseiro de lado. Porém, quando falávamos de seu possível envolvimento em um crime grave, ele pegava o travesseiro e o pressionava com força contra o tronco. Ficou claro que o cérebro límbico do interrogado só teve necessidade de proteger seu tronco quando se sentiu ameaçado. O rapaz não revelou nada nessa abordagem, mas na segunda vez não havia travesseiros reconfortantes!

Abotoar o paletó nem sempre é indicativo de mal-estar; com frequência os homens fazem isso para assumir uma postura mais formal ou mostrar deferência ao chefe. *Não* é um exemplo de demonstração de conforto total, como o que encontramos em, digamos, um churrasco, mas também não indica desconforto. As roupas e a forma como nos vestimos podem influenciar as percepções e até mesmo indicam quanto estamos acessíveis aos outros (Knapp & Hall, 2002, 206-214).

Sempre tive a impressão de que os presidentes costumam ir a Camp David em camisas polo para realizar o que aparentemente não conseguem em ternos formais na Casa Branca. Expondo o ventre (com a eliminação do paletó), eles dizem: "Estou acessível a você." Os presidenciáveis enviam essa mesma mensagem não verbal em comícios quando se livram do paletó (o escudo deles, se preferir definir assim) e arregaçam as mangas na frente das "pessoas comuns".

Talvez não surpreenda o fato de as mulheres tenderem a cobrir o tronco ainda mais que os homens, especialmente quando estão inseguras, nervosas ou cautelosas. Uma mulher pode cruzar os braços sobre o estômago, logo abaixo dos seios, em um esforço para proteger o tronco e se sentir confortável. Também pode cruzar um braço na frente e apoiar o cotovelo na mão do outro braço, formando uma barreira sobre o tórax. Ambos os comportamentos servem inconscientemente para proteger e isolar, sobretudo em situações sociais que causam desconforto.

No campus, muitas vezes vejo mulheres posicionarem cadernos sobre o peito ao entrar na sala de aula, principalmente nos primeiros dias. À medida que o nível de conforto aumenta, elas passam a carregá-los na lateral do corpo. Em dia de prova, costuma haver maior incidência desse comportamento de *proteção do peito*, mesmo entre estudantes do sexo masculino. As mulheres também usarão mochilas, maletas ou bolsas para se proteger, em especial quando estiverem sentadas sozinhas. Assim como quando você se cobre com um edredom enquanto assiste à televisão, colocar algo sobre o lado ventral nos protege e nos acalma. Em geral posicionamos objetos perto de nós, especialmente sobre o lado ventral, para conseguirmos a sensação de conforto de que precisamos em qualquer que seja a situação. Quando testemunhar alguém protegendo o tronco, você pode ter certeza de que ele está sentindo desconforto. Avaliando cuidadosamente as circunstâncias, a fonte desse desconforto pode permitir ajudá-lo ou, pelo menos, entendê-lo melhor.

Os homens, por qualquer que seja a razão (talvez para que fiquem menos visíveis), também protegem o tronco, mas de maneiras mais sutis. Eles podem cruzar os braços para mexer no relógio ou, como o príncipe Charles da Inglaterra costuma fazer quando está em público, estender o braço e ajustar a manga da camisa ou mexer nas abotoaduras. Um homem também pode ficar ajustando o nó da gravata, talvez mais do que o habitual, pois isso permite que o braço cubra a área do tórax e do pescoço. Essas são formas de blindagem que informam que a pessoa está um pouco insegura no momento.

Certa vez eu estava na fila do caixa de um supermercado esperando a mulher na minha frente concluir o pagamento. Ela usava um cartão de débito, e a máquina o rejeitou repetidas vezes. Cada vez que passava o cartão e digitava a senha, ela esperava o processamento com os braços cruzados sobre o tórax, até que finalmente desistiu e foi embora exasperada. Sempre que o cartão era rejeitado, ela apertava os braços e as mãos, um sinal claro de que seu aborrecimento e seu desconforto estavam aumentando (ver Figuras 33 e 34).

Vemos crianças, mesmo se muito novas, de braços cruzados quando estão desapontadas ou contrariadas. Esse comportamento de blindagem ocorre de várias formas – desde sobre a barriga até sobre a cabeça, segurando os ombros com as mãos opostas.

Os alunos costumam me perguntar se quando se sentam na sala de aula e cruzam os braços há algo de errado com eles. A questão não é se algo está errado nem se essa postura quer dizer que eles estão bloqueando o professor; muitas pessoas acham bastante confortável entrelaçar os braços na frente. Mas quando alguém cruza os braços de repente e os trava com firmeza com as mãos, isso é um indicativo de desconforto. Lembre-se de

**Figura 33**

Em público, muitos de nós cruzamos os braços confortavelmente enquanto esperamos ou ouvimos alguém falar. Em casa, raramente ficamos dessa maneira, a menos que algo esteja nos incomodando, como quando estamos impacientes por causa de um táxi atrasado.

**Figura 34**

Braços cruzados com as mãos os segurando firmemente é um indicativo de desconforto.

que é observando a mudança das posturas padrão que conseguimos perceber quando surge um desconforto. Repare se a pessoa vai deixando o lado ventral mais à mostra à medida que fica mais relaxada. Percebo que, quando dou palestras, muitos dos participantes inicialmente se sentam com os braços cruzados e então vão relaxando ao longo do tempo. É claro que algo acontece para provocar esse comportamento; provavelmente uma sensação de maior conforto com o ambiente e o instrutor.

Pode-se argumentar que as mulheres (ou os homens) cruzam os braços simplesmente porque sentem frio. Mas isso não deixa de lado o significado não verbal do comportamento, até porque o frio é uma forma de desconforto. As pessoas que se sentem desconfortáveis durante depoimentos (por exemplo, suspeitos em investigações criminais, crianças com problemas com os pais ou um funcionário sendo interrogado por conduta imprópria) geralmente se queixam de que sentem frio durante o interrogatório. Independentemente da razão, quando estamos angustiados o cérebro límbico prepara vários sistemas do corpo para a resposta de sobrevivência de congelar, fugir ou lutar. Um dos efeitos é que, caso os grandes músculos precisem ser usados para fugir ou combater a ameaça, o sangue é canalizado para os membros inferiores, longe da pele. À medida que o sangue é desviado para essas áreas vitais, algumas pessoas perdem o tom normal da pele e chegam a ficar pálidas ou como se estivessem em choque. Como o sangue é a nossa principal fonte de calor, esse desvio de fluxo faz com que a superfície do corpo pareça mais fria (ver Quadro 22) (LeDoux, 1996, 131-133). Por exemplo, na entrevista que mencionei há pouco, em que o jovem segurava o travesseiro, ele se queixou de sentir frio durante todo o tempo em que estávamos lá, mesmo depois que desliguei o ar-condicionado. O pai dele e eu estávamos bem; ele era o único reclamando da temperatura.

### Tronco curvado

O gesto de inclinar o tronco é realizado quase universalmente como um sinal de subserviência, respeito ou humildade, como quando recebemos aplausos. Observe, por exemplo, como os japoneses e chineses, estes em menor grau ultimamente, se curvam por respeito e deferência. Mostramos que somos subservientes ou que não temos status elevado quando adotamos automaticamente uma posição curvada ou prostrada, principalmente inclinando o tronco.

---

### QUADRO 22: POR QUE VOCÊ NÃO CONSEGUE DIGERIR CERTOS ASSUNTOS?

Você já sentiu dor de estômago durante uma discussão à mesa de jantar? Quando você está nervoso, seu sistema digestivo recebe menos sangue do que precisa para uma digestão adequada. Além de desviar o sangue da pele, a resposta de congelar, fugir ou lutar do sistema límbico também desvia o sangue do sistema digestivo, direcionando o fluxo ao coração e aos músculos dos membros inferiores (sobretudo pernas) para preparar o corpo para a fuga. A dor de estômago que você talvez sinta é um sintoma dessa estimulação límbica. Na próxima vez em que ocorrer uma discussão durante uma refeição, você já entenderá o motivo da dor. É comum que uma criança cujos pais brigam à mesa de jantar não consiga terminar a refeição; o sistema límbico dela ignora a alimentação e a digestão para prepará-la para a fuga e a sobrevivência. Nesse sentido, é interessante observar quantas pessoas vomitam após passar por um evento traumático. Em essência, durante emergências o corpo diz que não há tempo para a digestão; a reação dele é aliviar a carga e se preparar para a fuga ou conflitos físicos (Grossman, 1996, 67-73).

---

Para os ocidentais, não é natural fazer reverências, principalmente quando é um gesto consciente. Mas à medida que expandimos nossos horizontes e interagimos com mais pessoas de vários países orientais, cabe a nós aprender a inclinar um pouco o tronco, especialmente quando encontramos pessoas idosas. Esse simples gesto será reconhecido por aqueles que demonstram deferência por essa postura e dará uma vantagem social aos ocidentais dispostos a executá-lo (ver Quadro 23). Aliás, os europeus do Leste, sobretudo os mais velhos, ainda batem os calcanhares e se curvam levemente para expressar respeito. Sempre que vejo isso, acho encantador que hoje em dia as pessoas ainda mostrem cortesia e deferência. Seja de forma consciente ou não, inclinar o tronco é um gesto não verbal que expressa consideração pelos outros.

---

QUADRO 23: **UMA REVERÊNCIA SUPREMA**

---

A universalidade do gesto de curvar o tronco foi notavelmente ilustrada em um antigo documentário sobre o general Douglas MacArthur na época em que servia ao governo das Filipinas, antes do início da Segunda Guerra Mundial. O documentário mostra um oficial do Exército dos Estados Unidos saindo do escritório de MacArthur depois de entregar alguns documentos. Ao deixar a sala, o oficial faz um gesto de reverência para o general. Ninguém pediu que ele fizesse isso; o comportamento foi automaticamente impelido pelo cérebro do oficial para informar a pessoa de status elevado que sua patente estava clara – foi um reconhecimento de que MacArthur estava no comando. (Gorilas, cães, lobos e outros animais não humanos também adotam essa postura subserviente.) É interessante notar que o oficial que fez a reverência simplesmente se tornaria o comandante supremo dos Aliados na Europa, articulador da invasão da Normandia e o 34º presidente dos Estados Unidos: Dwight David Eisenhower. Aliás, anos mais tarde, ao saber que Eisenhower estava concorrendo à presidência, MacArthur comentou que ele era o "melhor oficial" que já havia tido (Manchester, 1978, 166).

---

### Tronco adornado

Como a comunicação não verbal também inclui símbolos, precisamos prestar atenção em roupas e outros acessórios usados no corpo em geral. Diferentemente do que prega o ditado popular, o hábito faz o monge, e eu concordo com isso, pelo menos em termos de aparência. Inúmeros estudos concluíram que o que vestimos, seja um terno ou roupas casuais – e até as cores de nossas roupas, um terno azul em oposição a um terno marrom –, influenciará os outros (Knapp & Hall, 2002, 206-214).

A roupa diz muito sobre nós e pode nos ajudar bastante. De certo modo, nosso corpo é um outdoor que divulga nossos sentimentos. Quando vamos para um encontro, nós nos vestimos para encantar; se estamos indo trabalhar, nós nos vestimos para o sucesso. Da mesma forma, o uniforme escolar, o distintivo da polícia e a condecoração militar são usados no tronco como forma de chamar a atenção para nossas conquistas. Se quisermos que os outros nos notem, temos que focar em usar mais o tronco. Quando o presidente norte-americano profere um discurso diante do Congresso, as mulheres vestidas de vermelho que vemos em um mar de azul e cinza são aquelas que, como pássaros exibindo sua plumagem, usam cores vibrantes para serem percebidas.

Roupas podem ser muito discretas, muito sinistras (como o visual "skinhead" ou "gótico", por exemplo) ou muito extravagantes (como as dos músicos Liberace e Elton John), refletindo o humor e/ou a personalidade de quem as usa. Também podemos nos valer de adornos no tronco ou de partes descobertas do tronco para atrair outras pessoas, mostrar quanto estamos musculosos ou em forma, ou anunciar onde nos encaixamos social, econômica ou profissionalmente. Isso pode explicar por que tantas pessoas se preocupam excessivamente com o que vestir quando vão participar de um evento importante ou sair para um encontro. Nossos adornos pessoais permitem mostrar nossa origem ou nosso pertencimento a um grupo específico – por exemplo, usando as cores de nosso time.

As roupas podem ser muito descritivas, como quando revelam se as pessoas estão comemorando ou lamentando, se têm ou não status elevado, se obedecem às normas sociais ou fazem parte de uma seita (por exemplo, se é um judeu hassídico, fazendeiro amish ou hare krishna). De certa forma, somos o que vestimos (ver Quadro 24). Durante anos, as pessoas me falaram que eu me vestia como um agente do FBI, e elas estavam certas. Eu usava o uniforme padrão: terno azul-marinho, camisa branca, gravata bordô, sapatos pretos e cabelo curto.

Como alguns de nós desempenhamos certas funções que exigem roupas específicas e como fazemos escolhas conscientes no que diz respeito a roupas, precisamos ter cuidado ao levar o fator vestimenta em consideração na hora de avaliar alguém. Afinal de contas, a pessoa à sua porta vestida com o uniforme de um técnico de telefonia pode ser um criminoso que comprou ou roubou a roupa para ter acesso à sua casa (ver Quadro 25).

## QUADRO 24: VOCÊ É O QUE VOCÊ VESTE

Imagine este cenário: você está andando por uma rua pouco movimentada à noite e ouve alguém se aproximando por trás. Você não consegue ver claramente o rosto ou as mãos da pessoa no escuro, mas percebe que ela está de terno e gravata e carregando uma maleta. Agora, imagine a mesma rua escura, mas dessa vez pense que tudo que dá para ver atrás de você é a silhueta de alguém vestindo roupas folgadas e desgrenhadas, calças abaixadas mostrando a cueca, boné inclinado e tênis esfarrapados. Em qualquer um dos casos, você fica impossibilitado de ver a pessoa o suficiente para discernir outros detalhes – e supõe que é um homem, baseado simplesmente nas roupas. Mas com base apenas no vestuário, você provavelmente tirará conclusões equivocadas sobre a ameaça potencial que cada pessoa representa para sua segurança. Mesmo que o ritmo de aproximação dos dois homens seja o mesmo, à medida que a pessoa se aproxima, seu cérebro límbico será ativado, embora sua reação a esses indivíduos se baseie exclusivamente nas roupas deles. Sua avaliação da situação fará com que você se sinta confortável ou desconfortável, e até potencialmente assustado.

Não tenho como dizer qual pessoa faria *você* se sentir mais à vontade; cabe a você saber. Mas sendo isso certo ou errado, as roupas influenciam muito o que pensamos sobre os outros. Embora a roupa em si não nos prejudique fisicamente, ela pode nos afetar socialmente. Imagine o grau de intolerância e desconfiança que alguns americanos passaram a ter desde o 11 de Setembro ao ver uma pessoa usando roupas que remetem ao Oriente Médio. Além disso, pense como alguns americanos do Oriente Médio se sentiram como resultado disso.

Digo a universitários que a vida nem sempre é justa e que, infelizmente, eles serão julgados por suas roupas; portanto, eles precisam decidir cuidadosamente sobre o que vestir e as mensagens que estão enviando para outras pessoas.

## QUADRO 25: NEM SEMPRE SOMOS QUEM PARECEMOS SER

Claramente, precisamos ter cuidado ao avaliar uma pessoa com base somente nas roupas que ela usa, pois às vezes isso pode levar a conclusões erradas. Certa vez eu estava em Londres, em um hotel muito bom a apenas quatro quadras do Palácio de Buckingham, onde todos os funcionários, inclusive as camareiras, usam roupas Armani. Se os tivesse visto no metrô indo para o trabalho, eu poderia facilmente ter me enganado quanto ao status social deles. Portanto, lembre-se de que, por ser culturalmente prescrita e facilmente manipulável, a roupa é apenas parte da imagem não verbal. Avaliamos as roupas para determinar se estão enviando uma mensagem, não para julgar as pessoas que as usam.

---

Mesmo com as ressalvas mencionadas, a roupa precisa ser considerada no contexto geral da avaliação não verbal. Por essa razão, é importante usar roupas que sejam coerentes com as mensagens que queremos enviar aos outros, supondo que queremos influenciar o comportamento alheio de uma maneira positiva ou benéfica para nós.

Ao escolher suas roupas e seus acessórios, mantenha-se sempre ciente da mensagem que você está enviando com o que usa e o significado que outras pessoas podem depreender disso. Considere também que, embora possa querer usar deliberadamente suas roupas para enviar um sinal para uma pessoa ou um grupo, em um horário e local específicos, talvez você encontre muita gente que não será tão receptiva à sua mensagem ao longo do caminho!

Em seminários, frequentemente pergunto: "Quantos de vocês estão usando hoje as roupas que sua mãe escolheu?" É claro que todo mundo ri e *ninguém* levanta a mão. Então prossigo: "Bem, então vocês – todos vocês – escolheram se vestir da maneira que estou vendo daqui." É quando todos olham ao redor e, talvez pela primeira vez, percebem que poderiam ter se vestido de forma mais apropriada, apresentável. Afinal de contas, antes de duas pessoas terem seu primeiro encontro, as únicas informações que cada uma tem sobre a outra diz respeito à aparência física e a outras comunicações não verbais. Talvez seja hora de considerar a impressão que *você* causa.

## Cuidados com a aparência

Quando estamos física e mentalmente bem, cuidamos da nossa aparência e do nosso asseio. Os seres humanos não são os únicos que fazem isso, pois pássaros e outros mamíferos têm comportamentos semelhantes. Quando estamos física ou mentalmente mal, por outro lado, a posição do tronco e dos ombros, bem como nosso aspecto geral, pode sinalizar que nossa saúde anda precária (American Psychiatric Association, 2000, 304-307, 350-352). Muitos sem-teto desafortunados sofrem de esquizofrenia e raramente cuidam das próprias roupas. Usam peças manchadas e sujas, e muitos desses indivíduos até lutam contra tentativas de terceiros para fazê-los tomar banho ou usar roupas limpas. A pessoa deprimida inclina-se enquanto caminha ou está em pé, parece que o peso do mundo a coloca para baixo.

O fenômeno da falta de cuidados pessoais durante doenças e infortúnios foi observado em todo o mundo por antropólogos, assistentes sociais e prestadores de serviços de saúde. Quando estamos tristes ou doentes, a aparência física e a apresentação estão entre as primeiras coisas que indicam essas condições (Darwin 1872, cap. 3, *passim*). Por exemplo, alguns pacientes em recuperação de uma cirurgia andam pelo corredor do hospital com os cabelos desgrenhados e vestidos com costas e nádegas expostas, sem se importar com a própria aparência. Quando está doente, você fica em casa parecendo mais desleixado do que pareceria normalmente. Quando uma pessoa está muito debilitada ou traumatizada, o cérebro redefine prioridades, e a aparência física simplesmente não é uma delas. Portanto, dentro do contexto, podemos usar a falta de higiene pessoal e/ou uma aparência física descuidada para fazer suposições sobre o estado de espírito ou de saúde de uma pessoa.

## Tronco esparramado

Esparramar-se em um sofá ou uma cadeira é normalmente um sinal de conforto. Mas quando há questões sérias a discutir, sentar-se de maneira desleixada torna-se uma demonstração territorial ou de domínio (ver

Figura 35). Adolescentes, em particular, costumam se sentar sem a menor postura como uma maneira não verbal de dominar o ambiente quando são repreendidos pelos pais. Esse *comportamento de esparramamento* é desrespeitoso e mostra indiferença em relação a quem tem autoridade. É uma demonstração territorial que *não* deve ser incentivada ou tolerada.

Se você tem um filho que faz isso sempre que se vê em alguma encrenca, é necessário neutralizar esse comportamento imediatamente pedindo a ele que se sente direito ou, se isso falhar, violando o espaço dele de forma não verbal (sentando-se ao lado ou permanecendo em pé atrás dele). Seu filho logo terá uma resposta límbica à sua "invasão" espacial, o que fará com que ele se sente corretamente. Se você permitir que seu filho permaneça impune por ficar em uma posição esparramada durante discussões sérias, não se surpreenda se ele perder o respeito por você ao longo do tempo. E como não perderia? Permitindo esses gestos, você está basicamente dizendo: "Tudo bem se você me desrespeitar." Quando crescem, essas crianças podem continuar se esparramando no local de trabalho, quando deveriam estar sentadas com as costas eretas. Essa postura não ajuda ninguém a se manter em um emprego porque envia uma forte mensagem, não verbal e negativa, de desrespeito à autoridade.

**Figura 35**
O esparramamento é uma demonstração territorial, o que é bom dentro de casa, mas não no local de trabalho, especialmente durante uma entrevista de emprego.

## Estufar o peito

Os seres humanos, como muitas outras criaturas (incluindo alguns lagartos, pássaros, cães e nossos parentes primatas), estufam o peito ao tentar estabelecer domínio territorial (Givens, 1998-2007). Observe duas pessoas que estão com raiva uma da outra; elas estufarão o peito como os gorilas-das-montanhas. Embora possamos achar cômico quando vemos outras pessoas fazendo isso, esse gesto não deve ser ignorado, porque estudos mostram que uma pessoa infla o peito quando está prestes a agredir alguém. Vemos isso nas escolas quando as crianças estão em conflito direto ou entre pugilistas profissionais quando eles incitam um ao outro verbalmente antes de uma grande luta – peito estufado, inclinando-se um em direção ao outro, proclamando sua certeza de vitória. O grande Muhammad Ali fez isso melhor do que ninguém durante os eventos antes de uma luta. Além de soar ameaçador, ele também era engraçado – tudo parte do show –, o que contribuía para um bom espetáculo e, claro, para a venda de ingressos.

## Tronco nu

Em brigas de rua, às vezes as pessoas tiram algo que estão usando – como uma camisa ou um chapéu – antes de partir para o ataque. Se isso é feito simplesmente para flexionar os músculos, poupar os itens descartados ou imobilizar o oponente de alguma maneira, ninguém tem certeza. De qualquer forma, se você entrar em uma discussão e seu opositor tirar o chapéu, a camisa ou outra peça de roupa, é muito provável que uma briga esteja prestes a acontecer (ver Quadro 26).

## Comportamento respiratório e o tronco

Quando uma pessoa está sob estresse, o tórax pode se expandir e contrair rapidamente. Quando o sistema límbico é estimulado e envolvido em uma fuga ou luta, o corpo tenta absorver o máximo de oxigênio possível, fazendo com que a pessoa fique ofegante ou respirando mais profundamente. O tórax de um indivíduo estressado se infla porque o cérebro límbico está dizendo: "Problema à vista! Intensifique o consumo de oxigênio para o caso de precisar fugir ou lutar!" Quando vemos esse tipo de comportamento não verbal em uma pessoa saudável, devemos tentar entender por que ela está tão estressada.

---

### QUADRO 26: QUANDO VOCÊ NÃO QUER QUE ALGUÉM TIRE A CAMISA

Anos atrás, testemunhei dois vizinhos discutindo por causa de um sistema de irrigação que acidentalmente manchou um veículo recém-polido. À medida que a discussão se intensificava, um dos vizinhos começou a desabotoar a camisa. Foi aí que eu soube que haveria uma briga. De fato, camisas voaram e os dois começaram a se peitar. Isso foi um simples precursor do primeiro soco, que seria dado logo em seguida. Parecia incrível que homens adultos estivessem brigando por causa de água em um carro. O que mais chamou a atenção, porém, foram os dois homens se peitando como se fossem gorilas. Foi realmente constrangedor vê-los envolvidos em uma demonstração de masculinidade tão ridícula. É algo que não deveria acontecer.

---

### Ombros encolhidos

Encolher os ombros parcial ou completamente pode significar muito, dependendo do contexto. Quando o chefe pergunta a um funcionário "Você sabe alguma coisa sobre essa reclamação do cliente?" e o funcionário responde "Não" encolhendo ligeiramente os ombros, é muito provável que ele não esteja dizendo a verdade. Se estivesse falando a verdade, ele teria encolhido os dois ombros ao máximo. Não há nada errado em dizer "Não sei!" enquanto

**Figura 36**

Encolher os ombros parcialmente indica desonestidade ou insegurança.

os dois ombros se elevam em direção às orelhas. Como discutido antes, isso é um comportamento que desafia a gravidade e que normalmente significa que a pessoa está à vontade e segura das próprias ações. Se você vir os ombros de alguém se encolherem apenas parcialmente ou se apenas um ombro se elevar, é provável que o indivíduo não esteja comprometido limbicamente com o que está dizendo e que esteja sendo evasivo ou dissimulado (ver Figuras 36 e 37).

**Figura 37**

Encolhemos os ombros para indicar dúvida ou falta de conhecimento. Repare se os dois ombros se elevam; quando apenas um deles se elevar, duvide da mensagem.

## Demonstrações sutis dos ombros

Por falar em ombros, esteja atento à pessoa que, ao conversar ou reagir a um evento negativo, move os ombros lentamente em direção às orelhas, fazendo o pescoço desaparecer (ver Figura 38). O detalhe principal aqui é que os ombros se elevam bem devagar. A pessoa que executa essa linguagem corporal está basicamente tentando fazer a cabeça desaparecer, como uma tartaruga. Está insegura e se sentindo altamente desconfortável. Costumo ver esse comportamento em reuniões em que o chefe entra e diz: "Ok, quero saber o que todos estão fazendo." À medida que as pessoas na sala falam

**Figura 38**
Ombros se elevando causam o "efeito tartaruga": fraqueza, insegurança e emoções negativas são a mensagem. Pense em atletas que perderam uma competição caminhando de volta ao vestiário.

orgulhosamente das próprias realizações, os funcionários menos qualificados aparentemente se afundam cada vez mais, os ombros sobem progressivamente em uma tentativa inconsciente de ocultar a cabeça.

Esse comportamento do tipo tartaruga também aparece quando algum pai diz em casa: "Fiquei realmente sentido quando descobri que alguém tinha quebrado a minha luminária de leitura e não contou nada." Quando o pai olhar para cada um dos filhos, um deles olhará para baixo e elevará os ombros. Você também verá essa manifestação em um time de futebol perdedor caminhando de volta ao vestiário – seus ombros parecem engolir a cabeça.

## UM COMENTÁRIO FINAL SOBRE O TRONCO E OS OMBROS

Existem muitos livros sobre comportamento não verbal que não mencionam o tronco e os ombros. Isso é lamentável, porque essas partes do nosso corpo transmitem muitas informações valiosas. Se você nunca tinha dado atenção para os sinais não verbais dessa área, espero que o material deste capítulo o tenha convencido a expandir seu alcance observacional, atribuindo a essas partes o status de "outdoor" do corpo. As reações do tronco são particularmente honestas porque, como muitos de nossos órgãos vitais ficam hospedados aí, o cérebro límbico toma muito cuidado para proteger essa área.

CINCO

# Abraçando o conhecimento
## Comportamentos não verbais dos braços

Em termos de observação da linguagem corporal, os braços são subestimados em grande medida. Normalmente, damos muito mais ênfase ao rosto e às mãos ao procurar interpretar o comportamento não verbal. No entanto, os braços funcionam de forma efetiva como transmissores de sentimentos como conforto, desconforto, segurança, entre outras demonstrações emocionais.

A partir do momento em que nossos ancestrais primatas começaram a andar eretos, os braços humanos ficaram livres para serem usados de maneiras singulares. Nossos braços são capazes de transportar cargas, dar golpes, segurar objetos e nos levantar do chão. Eles são funcionais, ágeis e fornecem uma formidável primeira resposta a qualquer ameaça externa, especialmente quando usados em conjunto com os membros inferiores. Se alguém joga um objeto contra nós, nossos braços se levantam para bloqueá-lo, de modo instintivo e preciso. Nossos braços, como nossos pés e pernas, são tão reativos e tão voltados para nos proteger que se levantam para nos defender, mesmo quando isso é ilógico ou desaconselhado. Em meu trabalho no FBI, vi indivíduos baleados no braço porque o usaram na tentativa de se defender de um tiro. O cérebro pensante perceberia que um braço simplesmente não pode parar uma bala, mas o cérebro límbico faz com que nossos braços se levantem e tentem bloquear um projétil viajando a 300 metros por segundo. Na ciência forense, as lesões resultantes desse processo são conhecidas como *ferimentos defensivos*.

Sempre que esbarrar o braço em algo – especialmente se for em algum objeto afiado –, considere que ele pode ter protegido seu tronco de um golpe potencialmente letal. Uma vez, enquanto segurava um guarda-chuva durante uma tempestade na Flórida, a borda da porta do meu carro bateu em mim e atingiu meu flanco, quebrando uma costela que tinha ficado desprotegida porque meu braço estava levantado. Desde aquela época, tenho uma memória dolorosa que me lembra que devo valorizar meus braços e a proteção que eles podem oferecer.

Uma vez que os braços – como os pés – são projetados para ajudar na nossa sobrevivência, podemos contar com eles para descobrir sentimentos ou intenções verdadeiros. Portanto, diferentemente do rosto, que é mais instável e dissimulado, os membros superiores fornecem sinais não verbais sólidos que retratam com mais precisão o que nós – e aqueles à nossa volta – pensamos, sentimos ou pretendemos fazer. Neste capítulo, examinaremos alguns dos movimentos mais comuns dos braços.

## COMPORTAMENTOS NÃO VERBAIS SIGNIFICATIVOS ENVOLVENDO OS BRAÇOS

### Movimentos do braço que desafiam a gravidade

Nossa forma de mover os braços é um indicador significativo e certeiro de nossos sentimentos e atitudes. Esses movimentos podem ser de moderados (comedidos e limitados) a grandiosos (irrestritos e expansivos). Quando estamos felizes, nossos braços se movem livremente, e até de um jeito divertido. Observe crianças brincando. Seus braços se movem sem esforço enquanto elas interagem. Você irá vê-las apontando, gesticulando, segurando, levantando, abraçando e acenando.

Quando estamos animados, não restringimos os movimentos dos braços; na verdade, nossa tendência natural é desafiar a gravidade e elevar os braços acima da cabeça (ver Quadro 27). Como mencionado antes, comportamentos desse tipo estão associados a sentimentos positivos. Quando uma pessoa se sente bem ou segura, ela balança os braços afirmativamente, como ao caminhar. É a pessoa insegura que inconscientemente restringe o movimento dos braços, parecendo incapaz de desafiar a força da gravidade.

> ## QUADRO 27: "MÃOS PARA CIMA!"
>
> Você não precisa de uma arma para que as pessoas levantem as mãos acima da cabeça. Deixe-as felizes, e elas farão isso automaticamente. Um assalto provavelmente é a *única* coisa que faz com que todos mantenham as mãos erguidas e fiquem infelizes ao mesmo tempo. Pense em como os atletas fazem *high fives* depois de uma boa jogada; observe fãs de futebol levantando os braços até as alturas depois que o time marca um gol. Os comportamentos que desafiam a gravidade dos braços são uma resposta comum à alegria e à excitação. Seja no Brasil, em Belize, na Bélgica ou em Botsuana, o movimento dos braços é uma demonstração verdadeiramente universal de felicidade.

Fale com sinceridade a uma colega sobre um erro drástico e oneroso que ela acabou de cometer no trabalho, e os ombros e braços dela cairão. Sabe aquela "sensação de afundamento"? É uma resposta límbica a um evento negativo. Emoções negativas nos colocam fisicamente para baixo. Essas respostas límbicas não apenas são honestas, como acontecem em tempo real. Nós erguemos e estendemos os braços no momento em que um gol é marcado, ou nossos ombros e braços se afundam quando o árbitro toma uma decisão que prejudica o nosso time. Esses comportamentos que desafiam a gravidade comunicam emoções com precisão e no momento exato em que somos afetados. Além disso, podem ser contagiosos, seja em um estádio de futebol, em um show de rock ou em um encontro com grandes amigos.

### Retração dos braços

Quando estamos aborrecidos ou assustados, retraímos os braços. De fato, quando somos feridos, ameaçados, maltratados ou estamos preocupados, os braços se estendem nas laterais ou se cruzam sobre o peito. Essa é uma tática de sobrevivência que ajuda a proteger o indivíduo quando ele detecta um perigo real ou presumido. Tomemos, por exemplo, uma mãe que está preocupada com o filho enquanto ele brinca com crianças mais rudes. Geralmente, ela cruza os braços sobre o abdome. Ela quer intervir, mas se mantém afastada e se contém mantendo a posição inicial, esperando que a brincadeira prossiga sem percalços.

Quando duas pessoas estão discutindo, ambas podem executar esse *comportamento de retração dos braços*, gesto muito protetor do qual nenhuma das partes parece estar ciente. Essa contenção é importante para a sobrevivência; protege o corpo por meio de uma posição não provocativa. Em essência, quem a executa está recuando, uma vez que estender os braços pode ser interpretado como uma tentativa de atacar e ferir a outra parte, o que às vezes resulta em briga.

A autocontenção pode nos ajudar não apenas a lidar com os outros, mas também a lidar com nós mesmos quando precisamos ser confortados. Por exemplo, lesões ou dores no tronco e nos braços geralmente nos fazem restringir o movimento dos braços numa tentativa de nos acalmar. Podemos retrair os braços sobre a região dolorida do corpo. Se você já experimentou um desconforto intestinal grave, seus braços provavelmente foram atraídos para o abdome em busca de conforto. Em momentos como esse, os braços não se movem para fora; o sistema límbico exige que eles atendam às nossas necessidades mais perto do corpo.

## Restrição dos movimentos dos braços

Às vezes, a restrição dos movimentos dos braços, ou *congelamento dos braços*, principalmente quando ocorre em crianças, pode ter implicações mais graves. Ao estudar indicadores de abuso infantil, concluí pela minha experiência que essas crianças adotam esse gestual na presença de pais ou outros predadores abusivos. Isso faz perfeito sentido para a sobrevivência, visto que todos os animais, principalmente os predadores, se orientam em direção a movimentos. Involuntariamente, a criança abusada apreende que quanto mais ela se move, mais provável é que seja notada e, em seguida, torne-se potencial alvo de um agressor. Portanto, o sistema límbico da criança se autorregula de forma instintiva para garantir que os braços não chamem atenção. O congelamento dos braços pode funcionar como um alerta para os adultos, sejam professores, vizinhos, parentes ou amigos, de que a criança sob sua responsabilidade pode estar sendo vítima de abuso (ver Quadro 28).

---

QUADRO 28: **TODOS VIGILANTES**

---

Para me exercitar, nado regularmente em uma piscina local. Anos atrás, reparei em uma jovem que, embora normalmente gregária e extrovertida, restringia o movimento dos braços sempre que sua mãe estava por perto. Percebi essa reação em vários dias. Além disso, observei que a mãe costumava falar com a jovem usando palavras duras, contundentes e depreciativas. Nas interações físicas que presenciei, ela lidava com a filha de uma maneira não tão amorosa, o que era muito perturbador, mas não a ponto de ser criminoso. No último dia em que vi a garota, notei alguns hematomas no lado ventral dos braços (a parte do braço que encosta no tronco quando o braço pende na lateral), na altura dos cotovelos. A partir daí, não consegui mais manter minhas suspeitas apenas para mim.

Notifiquei os membros da equipe da piscina que eu suspeitava de abuso infantil e pedi a eles que ficassem de olho na menina. Um funcionário me disse que ela era uma criança com "necessidades especiais" e os hematomas poderiam ter sido provocados por sua falta de coordenação. Senti que não estavam percebendo a gravidade da situação, então me dirigi ao gerente e repassei minhas preocupações. Expliquei que lesões de defesa por quedas não aparecem no lado ventral dos braços, mas nos cotovelos ou no lado dorsal (a parte externa). Além disso, eu sabia que não era coincidência que essa criança parecesse um robô toda vez que sua mãe se aproximava. Fiquei aliviado ao saber que essa questão foi posteriormente encaminhada às autoridades, depois que outros alunos fizeram as mesmas observações.

Deixe-me levantar um ponto muito importante. Se você é pai, professor, chefe de colônia de férias ou orientador de um colégio e percebe crianças mudando ou restringindo severamente o comportamento dos braços na frente dos pais ou de outros adultos, isso deve no mínimo despertar seu interesse e estimular mais observações. A restrição do movimento dos braços é parte da resposta de congelamento do sistema límbico. Para a criança abusada, esse comportamento adaptativo pode significar sobrevivência.

---

Talvez eu simplesmente não consiga tirar o FBI de mim, mas quando vejo crianças em um parque, não consigo parar de buscar hematomas ou ferimentos em seus braços. Infelizmente, há muito abuso infantil no mundo, e, durante meu treinamento, fui instruído a procurar os sinais de negligência em crianças e outras pessoas. Como resultado não apenas de minha carreira como agente da lei, mas também de meus anos como pai, sei como são hematomas por quedas ou batidas e onde eles aparecem no corpo. Hematomas gerados por abusos são diferentes. Os locais de incidência e sua aparência são distintos, e essas diferenças podem ser detectadas por um olho atento.

Como afirmado antes, humanos usam os braços para se defender, uma reação límbica previsível. Uma vez que as crianças usam os braços como o principal meio de defesa do corpo (adultos também usam objetos), a primeira coisa que um pai ou uma mãe abusivo segura costuma ser o braço agitado delas. Pais que adotam esse comportamento agressivo para lidar com as crianças deixam marcas de pressão no lado ventral (a parte interna) dos braços. Se os pais sacudirem a criança nessa posição, as marcas terão cores mais fortes (por causa da maior pressão) e a forma maior da mão adulta ou o vestígio alongado do polegar ou dos dedos.

Médicos e agentes de segurança pública costumam ver marcas como essas em jovens vítimas ou pacientes, mas o restante de nós simplesmente não está ciente de sua alta recorrência ou significância. Se aprendermos a observar cuidadosamente as crianças, procurando os sinais óbvios de maus-tratos, todos poderemos ajudar a proteger crianças inocentes. Ao dizer isso, não estou tentando torná-lo paranoico ou irracionalmente desconfiado, apenas consciente. Quanto maior o número de adultos atentos e bem informados sobre o aspecto das lesões de defesa e de outros ferimentos abusivos em crianças, e quanto mais buscarmos detectar esses ferimentos, mais seguros nossos filhos estarão. Queremos que eles sejam felizes e balancem os braços com alegria, não que os mantenham contidos por medo.

O comportamento contido dos braços não se limita às crianças. Também pode ser visto em adultos por várias razões (ver, por exemplo, Quadro 29).

Um amigo, que era inspetor alfandegário em Yuma, Arizona, me disse que uma das coisas que ele percebia na fronteira era como as pessoas carregavam malas e bolsas quando chegavam ao país. Uma pessoa preocupada com o conteúdo da bolsa – por causa de seu valor ou sua ilegalidade – tendia a segurá-la com mais força, especialmente quando se aproximava do balcão da alfândega. Não apenas os itens importantes tendem a estar mais bem protegidos com os braços, mas também as coisas que não queremos que sejam notadas.

---

### QUADRO 29: **HISTÓRIAS DE LADRÕES**

Uma das minhas primeiras experiências com o comportamento de contenção dos braços ocorreu mais de 35 anos atrás em uma livraria onde eu trabalhava identificando ladrões de loja. De um posto acima do nível do chão, logo soube que era relativamente fácil detectar esses infratores da lei. Depois de entender a linguagem corporal típica dos ladrões de loja, consegui detectá-los todos os dias – surpreendentemente, logo que eles passavam pela porta. Primeiro, esses indivíduos tendiam a olhar muito em volta. Segundo, costumavam mover os braços menos do que os compradores regulares. Era como se estivessem tentando se tornar alvos menores à medida que se moviam pela loja. Mas a falta de movimentos dos braços na verdade fazia com que eles se destacassem ainda mais – e me permitiu focar melhor neles enquanto seguiam seus hábitos de furto.

## USANDO SINAIS DOS BRAÇOS PARA AVALIAR HUMOR OU SENTIMENTOS

Caso estabeleça o comportamento padrão de um indivíduo específico ao observá-lo ao longo de determinado período de tempo, você conseguirá detectar como ele se sente reparando nos movimentos dos seus braços. Por exemplo, esse gestual pode informar como alguém se sente ao voltar do trabalho para casa. Após um dia difícil ou quando alguém está deprimido ou se sentindo triste, os braços permanecem junto ao corpo, os ombros caídos. Munido desse entendimento, você pode consolar a pessoa e ajudá-la a se recuperar. Por outro lado, observe pessoas se reencontrando após muito tempo sem se verem. Elas mantêm os braços abertos e estendidos. O significado é claro: "Vem cá, deixa eu te dar um abraço!" Essa bela visão é uma reminiscência de quando nossos próprios pais estendiam calorosamente os braços e respondíamos da mesma maneira. Estendemos os braços, desafiando a gravidade e abrindo todo o corpo, porque nossos sentimentos são genuinamente positivos.

O que acontece com os braços quando não estamos sentindo emoções positivas? Anos atrás, quando minha filha era pequena, estávamos em uma reunião de família e, quando um parente se aproximou de mim, em vez de estender totalmente os braços, só os estendi a partir dos cotovelos, mantendo os braços nas laterais do corpo. Curiosamente, minha filha imitou meu comportamento quando ele foi abraçá-la. De forma inconsciente, passei a mensagem de que essa pessoa era bem-vinda, mas que eu não estava muito empolgado em vê-la. Minha filha respondeu da mesma maneira e me falou mais tarde que também não gostava desse parente. Sendo os sentimentos de minha filha genuínos ou apenas um mimetismo do que eu sentia em relação a esse parente, o fato é que nós dois inconscientemente demonstramos, com nossos braços meio estendidos, como de fato nos sentíamos.

Os comportamentos dos braços também ajudam a comunicar mensagens cotidianas como "Olá", "Até mais", "Venha cá", "Não sei", "Lá", "Aqui", "Embaixo", "Em cima", "Pare", "Volte", "Suma daqui" e "Não acredito no que acabou de acontecer!". Muitos desses gestos podem ser entendidos em qualquer lugar do mundo e geralmente são empregados para superar barreiras linguísticas. Existem também vários gestos obscenos que envolvem os braços, alguns específicos de uma determinada cultura e outros que são universalmente compreendidos.

### Sinais dos braços para afastar as pessoas

Certos comportamentos dos braços transmitem a mensagem: "Não chegue perto de mim; não me toque!" Por exemplo, observe alguns professores universitários, médicos ou advogados enquanto caminham por um corredor, ou considere a rainha da Inglaterra e seu marido, o príncipe Philip. Quando eles deixam os braços para trás, dizem de imediato: "Tenho status elevado." Em um segundo momento, passam a mensagem: "Por favor, não se aproxime; não quero ser tocado." Esse comportamento costuma ser mal interpretado como um indicativo de que a pessoa está apenas contemplativa, mas, a menos que seja notado em alguém analisando uma pintura em um museu, por exemplo, não é. Colocar os braços para trás é um sinal claro que significa "Não se aproxime; não quero falar com você" (ver Figura 39). Os adultos podem transmitir essa mensagem entre si e às crianças – até os animais de estimação são sensíveis a gestos segregadores dos braços (ver Quadro 30). Imagine como deve ser desolador para uma criança crescer em uma casa onde quer sempre ser abraçada, mas a mãe vive com os braços para trás. Infelizmente, essas mensagens não

**Figura 39**

Às vezes chamado de "postura real", braços para trás significam "Não se aproxime". Vemos a realeza usar esse comportamento para manter as pessoas afastadas.

verbais surtem efeitos duradouros e, com muita frequência, como outras formas de negligência e abuso, são mais tarde imitadas e transmitidas para a próxima geração.

---

### QUADRO 30: ATÉ OS CÃES ENTENDEM

---

Adestradores de animais dizem que os cães não suportam quando seres humanos desviam o olhar ou não estendem os braços. Em essência, nosso comportamento diz ao cachorro: "Não vou tocar em você." Se você tem um cachorro, faça essa experiência. Fique na frente dele com os braços estendidos à sua frente, mas sem tocá-lo. Então coloque os braços para trás e observe o que acontece. Provavelmente você descobrirá que o cachorro vai reagir de maneira negativa.

---

Os seres humanos não gostam de sentir que são indignos de ser tocados. Quando um casal caminha junto e um ou os dois braços de algum deles estão para trás, é porque eles estão contidos. Obviamente, esse comportamento não está refletindo proximidade ou intimidade entre os dois. Pense em como você se sente quando estende o braço para apertar a mão de uma pessoa e ela não responde. Quando buscamos contato físico e não somos correspondidos, nos sentimos rejeitados e decepcionados.

Há inúmeras pesquisas científicas que indicam que o toque é muito importante para o bem-estar dos seres humanos. Segundo os dados apontados, saúde, humor, desenvolvimento mental e até longevidade são influenciados pela quantidade de contato físico que mantemos com os outros e pela frequência com que recebemos toques positivos (Knapp & Hall, 2002, 290-301). Todos nós sabemos de estudos que comprovaram que o simples fato de acariciar um cachorro diminui a frequência cardíaca de uma pessoa e funciona como um agente calmante. Talvez isso seja verdade porque os animais de estimação oferecem um afeto tão incondicional que nunca precisamos nos preocupar com a reciprocidade em relação a eles.

Aprendemos a usar o toque como um termômetro de como nos sentimos. Buscamos as coisas de que realmente gostamos e mantemos coisas desagradáveis distantes de nós. Se você pedir a alguém que descarte uma fralda suja, repare como a reação imediata é pegá-la com o menor número de dedos possível e manter os braços afastados do corpo. Ninguém recebe treinamento para reagir assim, mas todos nós replicamos esse comportamento porque o cérebro límbico quer limitar o contato com objetos que são desagradáveis, prejudiciais ou perigosos para nós.

Esse fenômeno de *distanciamento dos braços* ocorre não apenas quando deparamos com objetos de que não gostamos, mas também quando estamos com pessoas que não curtimos. Os braços funcionarão como barreiras ou mecanismos de bloqueio (como um *running-back* de futebol americano, que mantém o braço estendido enquanto corre com a bola para se defender das investidas dos adversários) para nos proteger e/ou nos distanciar de ameaças ou qualquer coisa que julgarmos negativa em nosso ambiente. Você pode descobrir muito sobre como uma pessoa se sente em relação a algo ou alguém observando se o braço dela se aproxima ou se distancia do objeto ou indivíduo em questão. Observe pessoas num aeroporto ou em uma calçada lotada e perceba como elas usam os braços para se proteger ou para impedir que se aproximem demais enquanto atravessam a multidão. Então repare como as pessoas com quem *você* interage o cumprimentam em situações sociais ou de negócios. Acho que você começará a ver que a expressão "manter alguém à distância" é colocada em prática e tem consequências.

## DEMONSTRAÇÕES TERRITORIAIS DOS BRAÇOS

Além de nos proteger ou manter as pessoas afastadas, os braços também podem ser utilizados para marcar território. De fato, no momento em que escrevi este parágrafo eu estava em um voo da Air Canada para Calgary, e o enorme rapaz que estava sentado ao meu lado e eu disputamos o território do apoio de braço durante quase todo o voo. Desde o início já parecia que eu perderia a disputa; eu tinha uma pequena área de apoio de braço, mas ele dominou o resto e, portanto, todo o meu lado esquerdo. Tudo o que pude fazer foi me inclinar na direção da janela. Com o tempo, decidi desistir de tentar conquistar qualquer território adicional, e assim ele saiu vitorioso. Mas pelo menos consegui um exemplo de demonstração territorial para este livro. Incidentes como esse acontecem com todo mundo, todos os dias, em elevadores, portas de entrada ou salas de aula. No final, se não houver ajuste ou consenso, alguém acaba sendo o "perdedor", e ninguém gosta de se sentir assim.

Você também vê demonstrações territoriais em salas de reuniões, em que uma pessoa espalha o material da apresentação e usa os cotovelos para dominar uma parte considerável da mesa de conferência. Segundo Edward Hall, essencialmente, território é poder (Hall, 1969; Knapp & Hall, 2002, 158-164). Reivindicar território pode ter consequências muito poderosas e negativas – de curta e longa duração –, e as batalhas resultantes podem variar de insignificantes a intensas. As disputas territoriais abrangem todos os contextos, desde um metrô lotado até a guerra travada entre a Argentina e a Grã-Bretanha pelas Ilhas Malvinas (Knapp & Hall, 2002, 157-159). Agora, estou aqui sentado, meses depois do voo para Calgary, e, enquanto edito este capítulo, ainda sinto o desconforto de quando o rapaz dominou o braço da poltrona. Demonstrações territoriais são importantes para nós, e os braços ajudam a afirmar nosso domínio sobre outras pessoas com as quais dividimos espaço.

Observe como indivíduos seguros ou de status elevado usarão mais os braços para reivindicar território do que as pessoas menos seguras e sem status elevado. Um homem dominante, por exemplo, pode colocar o braço em volta de uma cadeira para que todos saibam que isso é seu domínio, ou, em um primeiro encontro, pode colocar o braço de modo confiante sobre o ombro da mulher, como se ela fosse sua propriedade. Além disso, no que diz respeito a "comportamento à mesa", esteja ciente de que indivíduos com status elevado geralmente reivindicam o máximo de território possível logo depois que se sentam, espalhando os braços ou seus objetos (maleta, bolsa, papéis) sobre a mesa. Se você é novo em uma empresa, preste atenção nas pessoas que usam material pessoal (cadernos, calendários) ou os braços para reivindicar mais território do que a maioria. Mesmo em mesas de conferência, territórios são equivalentes a poder e status; portanto, esteja atento a esse comportamento não verbal e use-o para avaliar o status real ou presumido de um indivíduo. Por outro lado, a pessoa que se senta à mesa de conferência com os cotovelos junto à cintura e os braços apoiados entre as pernas envia uma mensagem de fraqueza e baixa autoconfiança.

## Mãos na cintura

Outro comportamento territorial usado para reafirmar o domínio e projetar uma imagem de autoridade é conhecido como *braços akimbo*. Esse gestual não verbal ocorre quando uma pessoa coloca as mãos na cintura (com os polegares para trás) formando um V com os braços. Observe policiais ou militares uniformizados quando estão conversando entre si. Eles quase sempre estão com as mãos na cintura. Embora tenham sido treinados a fazer isso para demonstrar autoridade, os braços akimbo não são bem vistos no "setor privado". É aconselhável que pessoas que deixam o serviço militar para entrar no mundo dos negócios suavizem esse gestual para que não sejam consideradas autoritárias (ver Figura 40). Diminuir a amplitude dos braços nessa posição pode atenuar a postura militar que os civis costumam achar desconcertante (ver Quadro 31).

Para as mulheres, os braços akimbo podem ser especialmente úteis. Ensinei a executivas que essa postura é uma poderosa demonstração não verbal que elas podem adotar quando precisam confrontar homens no ambiente de trabalho. É uma maneira eficaz de qualquer pessoa, especialmente mulheres, demonstrar que está firme, segura e que não quer ser intimidada. Com muita frequência, jovens mulheres são intimidadas de maneira não verbal no local de trabalho por homens que insistem em colocar as mãos na cintura para falar com elas, em uma demonstração de domínio territorial (ver Figura 41). Imitar esse comportamento – ou usá-lo antes de

**Figura 40**

Esta postura é uma poderosa demonstração territorial que pode ser usada para estabelecer domínio ou comunicar que há "problemas".

qualquer pessoa – pode funcionar para equilibrar as regras do jogo para mulheres que relutam em ser assertivas de outras maneiras. Os braços akimbo são uma boa maneira de dizer que há "problemas", "As coisas não estão boas" ou "Vou continuar firme no meu propósito" (Morris, 1985, 195).

---

QUADRO 31: **OS BRAÇOS ERRADOS DA LEI**

---

As pessoas que questionam o poder dos comportamentos não verbais de influenciar o comportamento de outras pessoas deveriam saber o que acontece quando um policial coloca as mãos na cintura na hora errada. Há situações em que essa postura pode não apenas acabar com a eficiência dos policiais, mas também colocar a vida deles em risco.

Inconscientemente, os braços akimbo são uma poderosa demonstração de autoridade e dominância, bem como uma reivindicação de território. Durante uma briga doméstica, se um policial usa essa postura, ele tende a alterar ainda mais os ânimos dos envolvidos e pode agravar a situação. Isso é particularmente verdadeiro se o policial exibir essa postura na porta de entrada, bloqueando a saída dos moradores. Demonstrações territoriais como mãos na cintura afloram emoções, já que "a casa de um homem é o seu castelo" e nenhum "rei" quer um estranho controlando seu espaço.

Outra situação potencialmente perigosa relacionada às mãos na cintura envolve jovens policiais que são retirados de suas funções regulares de patrulha para trabalhar disfarçados. Quando esses novatos disfarçados entram em um estabelecimento pela primeira vez, como um bar, por exemplo, eles tendem a fazer os braços akimbo. Embora isso seja algo que estão acostumados a fazer, eles não conquistaram o direito de adotar uma postura tão autoritária ou territorial entre pessoas que não conhecem. Inadvertidamente, eles anunciam que são policiais. Entrevistas com inúmeros criminosos revelaram que esse comportamento territorial dos braços é uma das coisas que eles procuram ao tentar identificar policiais disfarçados. Exceto para quem está em posição de autoridade, a maioria dos civis raramente fica em pé com as mãos na cintura. Sempre lembro aos oficiais e supervisores de treinamento que atentem a isso e garantam que os oficiais disfarçados não coloquem as mãos na cintura para que não revelem quem são e coloquem a própria vida em risco.

---

Existe uma variante da postura dos braços akimbo (que geralmente é realizada com as mãos na cintura e os polegares voltados para trás) em que as mãos são colocadas sobre a cintura, mas os polegares estão voltados

**Figura 41**

As mulheres tendem a usar a postura de mãos na cintura menos que os homens. Observe a posição dos polegares nesta fotografia.

**Figura 42**

Nesta foto, as mãos estão na cintura, mas observe que os polegares estão voltados para a frente. É uma posição mais inquisitiva e menos autoritária que a da foto anterior, em que os polegares estão voltados para a posição "Há problemas".

para a frente (ver Figuras 41 e 42). Costuma ser vista em pessoas que se mostram inquisitivas, porém interessadas. Elas podem se apresentar em determinada situação com essa curiosa postura (polegares para a frente, mãos nos quadris, cotovelos para fora) para avaliar o que está acontecendo e, em seguida, se necessário, voltar os polegares para trás para estabelecer uma postura de preocupação mais dominante.

## As duas mãos atrás da cabeça: efeito naja

Outra demonstração territorial – semelhante à das mãos na cintura – é frequentemente vista durante reuniões de negócios ou outras situações sociais em que todos ficam sentados, quando alguém se recosta e entrelaça as mãos atrás da cabeça (ver Figura 43). Conversei com um antropólogo cultural sobre esse comportamento, e concluímos que é uma reminiscência da maneira como uma naja levanta seu "capuz" para alertar outros animais de seu domínio e poder. Esse *efeito capuz* nos torna maiores do que de fato somos e diz aos outros: "Estou no comando aqui." Há também uma ordem hierárquica para essa e outras demonstrações de domínio. Por exemplo, ao esperar o início de uma reunião, o supervisor administrativo pode entrelaçar as mãos atrás da cabeça, apontando os cotovelos para fora. Mas quando o chefe entra na sala, essa postura territorial será interrompida. Reivindicar território é para pessoas com status elevado ou que estão no comando. Portanto, é direito do chefe assumir esse comportamento enquanto espera-se que todos os demais coloquem as mãos na mesa em uma demonstração apropriada de deferência.

**Figura 43**

As mãos entrelaçadas atrás da cabeça indicam conforto e dominância. Normalmente, a pessoa de maior nível hierárquico em uma reunião adotará a postura "naja".

## Pose dominante

Frequentemente, as pessoas usam os braços para enfatizar um ponto e reivindicar território ao mesmo tempo. Isso acontece com frequência durante interações em que as pessoas não concordam a respeito de alguma questão. Eu me lembro de um incidente durante uma estadia em Nova York em que um hóspede do hotel foi até a recepção com os braços próximos ao corpo e pediu um favor ao funcionário. Quando o favor não foi atendido, a solicitação do hóspede se transformou em uma exigência, e o movimento dos braços também mudou – foi se expandindo cada vez mais, reivindicando partes maiores de território à medida que a conversa ia ficando mais acalorada. Esse *comportamento de braços abertos* é uma poderosa resposta límbica empregada para estabelecer domínio e enfatizar um ponto de vista de uma pessoa (ver Figura 44). Como regra geral, pessoas dóceis, tranquilas, retraem os braços; pessoas fortes, poderosas ou indignadas irão abri-los para reivindicar mais território (ver Quadro 32).

Em reuniões de negócios, um palestrante que ocupa um grande espaço territorial provavelmente está muito seguro sobre o que está sendo discutido (ver Figura 45). A postura de braços abertos é um daqueles

**Figura 44**
As pontas dos dedos fixas e afastadas na superfície são uma demonstração territorial significativa de segurança e autoridade.

**Figura 45**
Braços estendidos sobre cadeiras dizem ao mundo que você está se sentindo seguro e à vontade.

comportamentos não verbais que podem ser interpretados com alta precisão porque tem origem límbica e anuncia "Estou seguro". Por outro lado, observe com que rapidez alguém com os braços abertos sobre várias cadeiras retrai os braços quando questionado sobre algo que o faz se sentir desconfortável (ver Quadro 33).

### Comportamentos do braço em um encontro

Em um encontro, o homem costuma ser o primeiro a abraçar a parceira, principalmente quando há alguma chance de outros homens tentarem cortejá-la. Ou ele irá envolvê-la com um braço, passando-o por trás dela, para que ninguém reivindique ou viole esse território. Observar os rituais de flerte pode ser muito esclarecedor e divertido – especialmente quando você vê homens inconscientemente reivindicando ao mesmo tempo o território e a acompanhante deles.

---

QUADRO 32: **BRAÇOS ABERTOS DEVEM LEVANTAR SUSPEITAS**

---

Há vários anos, participei do treinamento do pessoal de segurança da American Airlines no exterior. Um dos funcionários me informou que os colegas do setor de passagens frequentemente conseguem identificar passageiros potencialmente problemáticos de acordo com a amplitude da abertura dos braços quando estão no balcão. A partir desse dia, procurei esse comportamento e o visualizei inúmeras vezes durante confrontos.

Eu estava no aeroporto (sim, mais uma vez!) quando ouvi um passageiro ser informado sobre um novo regulamento que exigia que ele pagasse uma sobretaxa por excesso de bagagem. Imediatamente esse homem abriu tanto os braços que isso acabou forçando-o a se inclinar. Durante a discussão que se seguiu, o funcionário da companhia aérea deu um passo para trás, cruzou os braços sobre o tórax e informou ao passageiro que, a menos que ele cooperasse e se acalmasse, ele não seria autorizado a entrar no avião. Não é todo dia que se veem dois comportamentos tão marcantes de braços de uma só vez, no que se tornou uma queda de braços... à distância.

Outro exemplo de comportamento dos braços em um encontro acontece quando um casal coloca (ou não) os braços um ao lado do outro quando estão sentados juntos à mesa. Há um grande número de receptores sensoriais nos nossos braços; portanto, tocá-los pode gerar prazer sensual. Na verdade, até uma simples carícia nos pelos ou o toque através das roupas pode estimular terminações nervosas. Assim, quando colocamos os braços perto dos de outra pessoa, o cérebro límbico está demonstrando abertamente que estamos muito à vontade e que o contato físico é admissível. O outro lado desse comportamento é que tendemos a tirar os braços de perto da outra pessoa quando o relacionamento não anda bem ou quando aquele com quem estamos sentados (seja um parceiro romântico ou um estranho) nos faz sentir incômodo.

QUADRO 33: **O COMANDANTE DA SWAT QUE BAIXOU A GUARDA**

Anos atrás, eu participei do planejamento de uma operação da SWAT que aconteceria em Lakeland, Flórida. Enquanto descrevia as etapas da operação, o planejador da missão parecia ter pensado em tudo. Seus braços estavam estendidos sobre duas cadeiras enquanto ele passava segurança ao apresentar cada detalhe do plano de captura. De repente, alguém perguntou: "E os paramédicos de Lakeland, foram contatados?" Na mesma hora, o oficial retraiu os braços e os posicionou entre os joelhos, juntando as palmas das mãos. Isso foi uma mudança significativa de comportamento territorial. Ele passou da dominação de um grande espaço para a de um estreitíssimo, tudo porque não havia tomado todas as providências necessárias. Seu nível de autoconfiança caiu de repente. Esse é um exemplo impressionante de como nossos comportamentos variam e oscilam com muita rapidez dependendo de nosso humor, nosso nível de autoconfiança ou nossos pensamentos. Esses comportamentos não verbais ocorrem em tempo real e transmitem dados imediatamente. Quando estamos confiantes, espalhamos o corpo; quando não é o caso, nós o retraímos.

## Adornos e artefatos nos braços

Em todo o mundo, a riqueza é frequentemente demonstrada por meio do uso de adornos ou itens preciosos nos braços. Em muitas partes do Oriente Médio, ainda é comum que as mulheres usem sua riqueza na forma de anéis ou pulseiras de ouro, indicando valor e status. Os homens também usam relógios caros para demonstrar seu status socioeconômico ou seu nível de riqueza. Na década de 1980, os homens em Miami eram fanáticos por usar relógios Rolex, símbolos de status da época e onipresentes entre traficantes de drogas e novos-ricos.

Outros símbolos sociais, incluindo histórico pessoal ou profissional de uma pessoa, também podem ser exibidos nos braços de várias maneiras. Pessoas que trabalham no setor de construção, atletas e soldados às vezes revelam as cicatrizes resultantes de suas atividades. Uniformes podem conter identificações nas mangas. Assim como o tronco, os braços podem ser outdoors para anunciar aspectos de nossa personalidade. Basta olhar para a variedade de tatuagens que as pessoas têm nos braços ou para os músculos que os fisiculturistas exibem orgulhosamente em camisetas regata justas.

Para o observador habilidoso, um exame cuidadoso dos braços das pessoas pode revelar informações sobre o estilo de vida delas. Os cotovelos sedosos e bem cuidados de quem nunca precisou trabalhar diferem muito daqueles com cicatrizes ou peles queimadas pelo sol do trabalho ao ar livre. Pessoas que serviram o Exército ou estiveram na prisão podem ter sinais de suas experiências nos braços, incluindo cicatrizes e tatuagens. Indivíduos que apoiam o ódio contra um determinado grupo ou assunto geralmente tatuam evidências desse ódio nos braços. Aqueles que usam drogas intravenosas têm marcas ao longo das veias dos braços. Indivíduos problemáticos com um distúrbio psicológico conhecido como *borderline* podem apresentar cortes e ferimentos provocados por eles mesmos (American Psychological Association, 2000, 706-707).

No que diz respeito especificamente a tatuagens, esse estilo de adorno corporal passou a ser mais utilizado dos anos 1990 para cá, principalmente nos países mais "modernizados". Mas esse método de decoração pessoal é utilizado em todo o mundo há pelo menos 13 mil anos. Como parte de nosso "outdoor do corpo", devemos discutir a mensagem que tatuagens transmitem na cultura atual. Na época em que começou a aumentar o número de pessoas com tatuagens, conduzi uma entrevista de seleção de jurados, buscando saber especificamente o que eles achavam de uma testemunha ou um réu que tivesse tatuagens. As pesquisas, realizadas inúmeras vezes com vários grupos de homens e mulheres, concluíram que tatuagens eram percebidas pelos jurados como adornos de baixo nível e/ou vestígios de rebeldia juvenil, que, em geral, não são muito apreciados.

Digo aos alunos que, se eles têm tatuagens, devem escondê-las, principalmente se forem a uma entrevista de emprego – e, sobretudo, se forem trabalhar na indústria de alimentos ou na área médica. Celebridades talvez consigam escapar impunes dos olhares negativos provocados por tatuagens, mas até essas pessoas precisam ocultar seus adornos dependendo do papel que vão interpretar. O pano de fundo da questão das tatuagens é que as pesquisas mostram que a maioria das pessoas não gosta de vê-las. Embora isso possa mudar um dia, por enquanto, se você estiver tentando influenciar alguém de maneira positiva, deve ocultá-las.

## Braços como condutores de afeto

As crianças precisam ser tocadas com carinho para que cresçam se sentindo seguras e confortadas, mas até os adultos podem precisar de um bom abraço de vez em quando. Distribuo abraços porque eles transmitem carinho e afeto com muito mais eficácia do que meras palavras. Sinto muito por aqueles que não são afeitos a abraços; eles estão perdendo muito na vida.

Contudo, por mais poderoso e eficaz que um abraço possa ser para que alguém conquiste autoconfiança e melhore suas relações humanas, esse gesto também pode ser visto por alguns como uma invasão indesejada do espaço pessoal. Para que um abraço bem-intencionado não seja interpretado como assédio sexual, é preciso ter cuidado para não abraçar quem não estiver disposto a recebê-lo. Como sempre, observação cuidadosa e interpretação do comportamento das pessoas à medida que você interage com elas serão seu melhor indicador para avaliar se um abraço é apropriado ou não em qualquer circunstância.

Mas dar abraços não é a única forma que as pessoas têm de usar os braços para transmitir calor humano e, ao fazer isso, aumentar as próprias chances de serem bem vistas pelos outros. Ao se aproximar de um estranho pela primeira vez, tente demonstrar receptividade deixando os braços relaxados, de preferência com o lado ventral exposto e talvez até com as palmas das mãos claramente visíveis. Essa é uma maneira muito poderosa de enviar a mensagem "Olá, vim em paz" ao sistema límbico da outra pessoa. É uma ótima maneira de deixá-la à vontade e facilitar qualquer interação subsequente.

Na América Latina, é comum que os homens troquem *abrazos* (um breve abraço). É uma maneira de dizer "Gosto de você". Ao dar um *abrazo*, os tórax se juntam e os braços envolvem as costas da outra pessoa. Infelizmente, conheço muitas pessoas que relutam em fazer isso e/ou se sentem muito estranhas quando o fazem. Já vi empresários americanos na América Latina se recusando a dar um *abrazo* ou, quando o fizeram, parecendo muito sem jeito durante o gesto. Meu conselho é aceitar o *abrazo* e fazê-lo direito, uma vez que pequenas cortesias significam muito em qualquer cultura. Aprender a dar um *abrazo* adequado não é diferente de aprender a dar um aperto de mãos corretamente e sentir-se confortável fazendo isso. Se você é um homem de negócios e trabalha na América Latina, será considerado frio ou distante se não aprender essa saudação familiar. Não há necessidade de ser mal interpretado quando um simples gesto pode gerar muita boa vontade e torná-lo simpático (ver Quadro 34).

QUADRO 34: **NÃO SE INCOMODE SE FOR ABRAÇADO**

Anos atrás, em um julgamento em Tampa, Flórida, o advogado de defesa tentou me pressionar e, no intuito de me constranger ou de minimizar minha credibilidade, perguntou um tanto sarcástico: "Sr. Navarro, não é verdade que você costumava abraçar meu cliente, o acusado, toda vez que se encontrava com ele?" Então respondi: "Não era um abraço, advogado, era um *abrazo*, e há uma diferença." Fiz uma pausa dramática por um segundo e depois continuei: "Era também uma oportunidade de eu conferir se seu cliente estava armado, porque ele já roubou um banco." O advogado de defesa, surpreso, encerrou a linha provocativa de inquirição exatamente aí, já que não sabia que seu cliente havia cometido um assalto a banco com uma arma.

Curiosamente, essa história chegou aos jornais como se as pessoas de Tampa e da vizinha Ybor City (habitadas por latinos) nunca tivessem ouvido falar de um *abrazo*. A partir desse julgamento, o advogado em questão e eu nos tornamos amigos íntimos e hoje em dia ele é juiz federal. Passados mais de 20 anos, ainda rimos do "incidente do *abrazo*".

## OBSERVAÇÕES FINAIS SOBRE OS SINAIS NÃO VERBAIS DOS BRAÇOS

Nossos braços podem transmitir muitas informações ao decodificarmos as intenções e sentimentos de outras pessoas. Da minha perspectiva, uma das melhores maneiras de garantir um bom relacionamento com alguém é tocar essa pessoa no braço, em algum lugar entre o cotovelo e o ombro. Obviamente, sempre é aconselhável verificar as preferências pessoais e culturais da pessoa antes de prosseguir. Mas, em geral, o breve toque que acabei de descrever costuma ser algo bom e seguro para iniciar o contato humano e permitir que outras pessoas saibam que você quer se dar bem com elas. Nos mundos mediterrâneo, sul-americano e árabe, o toque é um componente importante para a comunicação e a harmonia social. Não fique chocado, surpreso nem se sinta ameaçado ao viajar por essas regiões se as pessoas tocarem seu braço (supondo que o façam de forma adequada, como descrevi). É uma maneira poderosa de dizer: "Estou disposto a me dar bem com você." Na verdade, uma vez que o toque humano está tão intimamente envolvido na comunicação, quando não há contato entre as pessoas, você deve se preocupar e se perguntar por que esse contato não está acontecendo.

SEIS

# Lendo mãos

## Comportamentos não verbais de mãos e dedos

Entre todas as espécies, as mãos humanas são únicas – não apenas pelo que podem realizar, mas também por causa da maneira como elas se comunicam. Mãos humanas são capazes de pintar a Capela Sistina, dedilhar um violão, manusear instrumentos cirúrgicos, esculpir um Davi, forjar aço e escrever poesia. De segurar, arranhar, cutucar, perfurar, sentir, perceber, avaliar, segurar e moldar o mundo à nossa volta. Nossas mãos são extremamente expressivas; elas podem servir de meio de comunicação para surdos, ajudar a contar uma história ou revelar nossos pensamentos mais íntimos. Nenhuma outra espécie possui apêndices com uma variedade tão notável de capacidades.

Como nossas mãos têm capacidade de executar movimentos muito delicados, acabam conseguindo refletir nuances muito sutis no cérebro. Entender o comportamento das mãos é crucial para decodificar comportamentos não verbais, porque não há praticamente nada que suas mãos façam que não seja determinado – consciente ou inconscientemente – pelo cérebro. Apesar do desenvolvimento da linguagem falada ao longo de milhares de anos de evolução humana, nosso cérebro ainda está conectado para envolver nossas mãos de forma precisa no ato de comunicar nossos pensamentos, emoções e sentimentos. Portanto, quer as pessoas estejam falando ou não, os gestos das mãos merecem nossa atenção como uma rica fonte de comportamentos não verbais para nos ajudar a entender os pensamentos e sentimentos alheios.

# COMO A APARÊNCIA E OS SINAIS NÃO VERBAIS DAS MÃOS AFETAM A PERCEPÇÃO INTERPESSOAL

As mãos não apenas comunicam informações importantes, como influenciam a maneira como os outros nos percebem. Portanto, nosso modo de usar as mãos – assim como o que aprendemos com o comportamento das mãos de outras pessoas – contribui para nossa eficácia interpessoal geral. Vamos começar examinando como os gestos das nossas mãos influenciam o que os outros pensam de nós.

### Movimentos eficazes das mãos aumentam nossa credibilidade e nossa persuasão

O cérebro humano é programado para detectar o menor movimento de mãos e dedos. De fato, nosso cérebro dá uma quantidade desproporcional de atenção aos pulsos, palmas, dedos e mãos em comparação com o foco direcionado ao restante do corpo (Givens, 2005, 31, 76; Ratey, 2001, 162-165). Do ponto de vista evolutivo, isso faz sentido. À medida que nossa espécie adotou a postura ereta e o cérebro humano aumentou, nossas mãos se tornaram mais hábeis, mais expressivas e também mais perigosas. Por uma questão de sobrevivência, temos necessidade de avaliar rapidamente as mãos dos outros para ver o que elas dizem ou se estão representando alguma ameaça (como ao segurar uma arma). Como o nosso cérebro tem uma tendência natural a focalizar as mãos, comunicadores bem-sucedidos, mágicos e grandes oradores capitalizaram esse fenômeno para tornar suas apresentações mais empolgantes ou para nos distrair (ver Quadro 35).

As pessoas respondem positivamente aos movimentos eficazes das mãos. Se você quer ser um orador mais persuasivo – em casa, no trabalho ou mesmo com amigos –, tente movimentar as mãos de forma mais expressiva. Para alguns, a comunicação eficaz com as mãos ocorre naturalmente; é um dom que não é ensinado nem requer premeditação. Para outros, porém, é preciso esforço e treinamento. Falando naturalmente ou não com as mãos, reconheça que comunicamos nossas ideias de maneira mais eficaz quando usamos as mãos.

---
QUADRO 35: **O SUCESSO NA PALMA DA MÃO**
---

Os oradores mais bem-sucedidos gesticulam de forma muito poderosa. Infelizmente, um dos melhores exemplos que posso oferecer de um indivíduo que aprimorou gestos com as mãos para melhorar suas habilidades de comunicação é Adolf Hitler. Simples soldado raso na Primeira Guerra Mundial, criador de cartões comemorativos e com pouca estatura, Hitler não tinha os pré-requisitos ou a presença de palco que normalmente seriam esperados de um orador talentoso e persuasivo. Por conta própria, ele começou a praticar oratória na frente de espelhos. Mais tarde, passou a filmar a si mesmo enquanto gesticulava para aprimorar um estilo contundente de oratória. O resto é história. Um ser humano perverso conseguiu se destacar como líder do Terceiro Reich por meio de suas habilidades retóricas. Ainda existem arquivados vídeos de Hitler praticando seu gestual. Eles atestam seu desenvolvimento como um orador que capitalizou o uso das mãos para encantar e controlar seu público.

---

*Ocultar as mãos passa uma impressão negativa: mantenha-as visíveis*

As pessoas podem considerá-lo suspeito se não conseguirem ver suas mãos enquanto você fala. Portanto, sempre mantenha as mãos visíveis durante suas interações com outras pessoas. Se você já conversou com alguém cujas mãos não estavam à vista, deve ter achado bastante incômodo (ver Quadro 36). Quando interagimos pessoalmente com outras pessoas, esperamos ver suas mãos, porque o cérebro as considera parte integrante do processo de comunicação.

## QUADRO 36: **UM EXPERIMENTO DISSIMULADO**

Anos atrás, conduzi um estudo informal em três turmas minhas. Pedi aos alunos que conversassem entre si, e instruí metade da classe a manter as mãos embaixo da mesa durante a conversa, enquanto a outra metade ficaria com as mãos visíveis. Após 15 minutos dessa interação, descobrimos que as pessoas com as mãos embaixo da mesa geralmente pareciam incomodadas, retraídas (hesitantes), furtivas ou mesmo dissimuladas aos olhos daqueles com quem estavam conversando. Os interlocutores com as mãos visíveis foram vistos como mais abertos e amigáveis, e *nenhum* foi taxado de dissimulado. Não é um experimento muito científico, mas é bastante produtivo.

Ao conduzir pesquisas com jurados, uma coisa que se destaca é quanto eles detestam quando os advogados ficam atrás do leitoril. Os jurados querem ver as mãos do advogado para avaliar a argumentação com mais precisão. Os jurados também não gostam quando as testemunhas ficam com as mãos escondidas; eles veem isso negativamente, comentando que a testemunha deve estar hesitando ou até mesmo mentindo. Embora esses comportamentos nada tenham a ver com dissimulação propriamente dita, a percepção dos jurados é significativa e nos lembra que devemos evitar ocultar as mãos.

Quando as mãos estão fora de vista ou menos expressivas, isso diminui a qualidade e a honestidade das informações transmitidas.

### O poder de um aperto de mãos

Um aperto de mãos é geralmente o primeiro contato físico que temos com outra pessoa. O modo como fazemos isso, incluindo a força imposta e o tempo de duração, pode influenciar a maneira como somos percebidos pela pessoa que estamos cumprimentando. Muitas pessoas já ficaram constrangidas por causa de um aperto de mãos. Não despreze o poder desse gesto para deixar uma boa impressão. Ele é muito significativo.

Em todo o mundo, é comum usar as mãos para cumprimentar outras pessoas, embora existam variações na execução do gesto, relativas a tempo e intensidade. Quando comecei a estudar na Brigham Young University e precisei me mudar para Utah por causa disso, fui apresentado ao que os colegas da BYU chamavam de "aperto de mãos mórmon". É um aperto de mãos muito forte e demorado, usado amplamente não apenas pelos estudantes universitários, mas também pelos membros da Igreja de Jesus Cristo dos Santos dos Últimos Dias (mórmons). Ao longo dos anos em que estive lá, notei como particularmente os estudantes estrangeiros costumavam se surpreender com esse aperto de mãos excessivamente zeloso, porque em muitas culturas, especialmente na América Latina, o aperto de mãos é gentil (alguns preferem dar um *abrazo*, como mencionado anteriormente).

Como o aperto de mãos é geralmente o primeiro contato físico entre duas pessoas, esse pode ser um momento decisivo para o relacionamento. Além de ser usado como um cumprimento, certas pessoas o usam para estabelecer dominância. Na década de 1980, muito foi escrito sobre como era possível usar o aperto de mãos para estabelecer controle e dominância manobrando a mão de uma ou outra maneira, garantindo que a sua sempre estivesse por cima. Que desperdício de energia!

Se quiser estabelecer dominância, não recomendo que você dê um aperto de mãos com muita pressão, pois, quando encontramos outras pessoas, devemos querer deixar impressões positivas, não negativas. Se você precisar firmar dominância, as mãos não são o meio correto para conseguir isso. Existem outras táticas mais poderosas, incluindo violação do espaço e o comportamento olho no olho, que são mais sutis.

Já troquei apertos de mãos com pessoas que queriam estabelecer domínio, e sempre fiquei com uma impressão negativa a respeito delas. Elas não conseguiram me fazer sentir inferior, apenas incomodado. Existem também aqueles que insistem em tocar o lado interno (ventral) do pulso com o dedo indicador quando dão um aperto de mãos. Se já passou por isso e se sentiu desconfortável, não se surpreenda, porque a maioria das pessoas se sente do mesmo jeito.

Da mesma forma, você normalmente se sentirá incomodado se alguém lhe der o que é chamado de "aperto de mãos de político", no qual a pessoa cobre as mãos unidas com a mão esquerda dela. Suponho que os políticos achem que estão sendo mais amigáveis usando as duas mãos, sem perceber que muitas pessoas não gostam de ser tocadas dessa maneira. Conheço gente (principalmente homens) que insiste em dar apertos de mãos dessa maneira e acaba despertando sentimentos negativos naqueles que cumprimentam. Obviamente, você deve evitar dar um desses apertos de mãos desconfortáveis, a menos que queira ser desagradável.

Por mais estranho que possa parecer para os ocidentais, em muitas culturas os homens executam gestos que envolvem se dar as mãos. Isso é muito comum no mundo muçulmano e na Ásia, especialmente no Vietnã e no Laos. Os homens nos Estados Unidos geralmente se sentem desconfortáveis segurando as mãos um do outro porque isso não é comum na cultura norte-americana, exceto se você é uma criança ou se estiver participando de certos rituais religiosos. Quando dou aulas na academia do FBI, peço aos jovens agentes que se levantem e deem um aperto de mãos. Eles fazem isso com tranquilidade, mesmo quando peço que se prolonguem no gesto. No entanto, quando solicito que continuem de mãos dadas, zombarias e objeções surgem rapidamente; eles se contraem só de imaginar isso e obedecem apenas após muita hesitação. Então lembro aos novos agentes que lidamos com pessoas de muitas culturas e que esses indivíduos geralmente mostram seu nível de bem-estar em relação a nós segurando nossa mão. É algo que nós, ocidentais, precisamos aprender a aceitar, especialmente quando lidamos com informantes de outros países (ver Quadro 37).

### QUADRO 37: QUANDO A ALFÂNDEGA E A COLETA DE INFORMAÇÕES ANDAM DE MÃOS DADAS

Quando fui designado para o escritório do FBI em Manhattan, trabalhei com um informante que havia desertado da Bulgária. Ele era mais velho e, com o passar do tempo, nos tornamos amigos. Eu me lembro de estar na casa dele certa tarde, tomando chá, o que ele preferia fazer ao final do dia. Nós nos sentamos no sofá e, enquanto me contava histórias sobre seu trabalho e sua vida atrás da Cortina de Ferro, ele ficou segurando minha mão esquerda por praticamente meia hora. Ele também contou sobre a opressão soviética que tinha sofrido, e então percebi que esse encontro estava mais para uma sessão de terapia do que qualquer outra coisa. Ficou claro que esse cavalheiro gostava muito de segurar a mão de outra pessoa e ficava confortável nessa posição. Esse comportamento foi um sinal de sua confiança em mim; foi muito mais do que um interrogatório de praxe conduzido por um ex-agente de inteligência do FBI. O fato de eu aceitar sua mão fez aumentar muito a confiança dele em fornecer informações importantíssimas. Eu sempre me pergunto quantas informações a menos eu teria obtido se tivesse recuado minha mão porque temia tocar ou segurar a mão de outro homem.

---

Muitas culturas usam o toque para consolidar sentimentos positivos entre os homens, algo incomum na cultura ocidental. A história do rapaz búlgaro, contada no quadro anterior, não apenas revela diferenças culturais, mas também ilustra a importância do contato físico para nossa espécie. Nos relacionamentos interpessoais – seja entre homens, mulheres, pais e filhos ou amantes –, é fundamental ter contato físico e avaliá-lo para determinar como anda o relacionamento. Um dos sinais de que um relacionamento esfriou ou está em risco é uma diminuição repentina na quantidade de toques (supondo que eles aconteçam). Em qualquer relacionamento, quando há confiança entre as partes, há mais atividade tátil.

Se você está no exterior ou planeja viajar no futuro, certifique-se de conhecer as convenções culturais do país que visita, principalmente no tocante a cumprimentos. Se alguém lhe der um aperto de mãos fraco, não faça cara de desgosto. Se alguém tocar no seu braço, não se encolha. Se estiver no Oriente Médio e uma pessoa quiser segurar sua mão, não a impeça. Se você é um homem visitando a Rússia, não se surpreenda quando o anfitrião do gênero masculino beijar sua bochecha, em vez de apertar sua mão. Todas essas saudações são formas muito naturais de expressar sentimentos genuínos, tanto quanto um aperto de mãos norte-americano. Fico honrado quando um homem árabe ou asiático se adianta para pegar minha mão porque sei que é sinal de muito respeito e confiança. Aceitar essas diferenças culturais é o primeiro passo para ser mais compreensivo e abraçar a diversidade.

## Evite gestos com as mãos que ofendam os outros

Em muitos países, apontar o dedo é visto como um dos gestos mais ofensivos que existem. Estudos mostram que as pessoas não gostam quando alguém aponta um dedo para elas (ver Figura 46). Seja em escolas ou em presídios, esse gesto frequentemente é o precursor de muitas brigas. Ao conversar com os filhos, os pais devem ter cuidado para evitar replicar esse comportamento enquanto dizem coisas como "Eu sei que você fez isso". Apontar o dedo é tão desagradável que pode na verdade desviar a atenção da criança do que está sendo dito enquanto ela processa a mensagem hostil do gesto (ver Quadro 38).

**Figura 46**

Apontar o dedo talvez seja um dos gestos mais ofensivos que existem. Ele tem conotações negativas em todo o mundo.

Apontar o dedo é apenas um dos muitos gestos ofensivos que uma pessoa pode fazer com as mãos ou com os dedos. Alguns são tão conhecidos que nem precisam ser explicados, como levantar o dedo do meio. Estalar os dedos para alguém também é considerado rude; você nunca deve tentar chamar a atenção de alguém com o mesmo gesto que pode usar para chamar seu cão. No julgamento de Michael Jackson, em 2005, os jurados não gostaram quando a mãe de uma das vítimas ficou estalando os dedos para o júri; isso surtiu um efeito muito negativo. Para quem estiver interessado em leituras adicionais sobre gestos com as mãos em todo o mundo, recomendo muito o *Bodytalk: The Meaning of Human Gestures*, de Desmond Morris (sem tradução em português), e o *Gestos: um manual de sobrevivência gestual, divertido e informativo, para enfrentar a globalização*, de Roger E. Axtell. Esses dois livros maravilhosos abrirão seus olhos para a diversidade dos gestos em todo o mundo e a eloquência das mãos para expressar emoções humanas.

## QUADRO 38: O DEDO ACUSATÓRIO

Pesquisas com grupos de discussão vêm mostrando que um advogado de acusação precisa ter muito cuidado ao apontar o dedo indicador para o réu durante as declarações iniciais. Os jurados não gostam de ver esse comportamento porque, na visão deles, o promotor só teria o direito de apontar o dedo depois que provasse a culpa do réu. É muito melhor se referir ao acusado gesticulando com a mão aberta (palma para cima) do que com o dedo. Depois que o caso é esclarecido, o promotor público pode apontar o dedo indicador para o réu durante os argumentos finais. Isso talvez pareça trivial, mas dezenas de pesquisas com jurados de julgamentos simulados mostraram que eles pensam dessa forma. Assim, recomendo que os advogados não apontem o dedo nos tribunais. Quanto ao resto de nós, não devemos apontar o dedo ao lidar com nossos cônjuges ou filhos, nem com nossos colegas de trabalho. Apontar o dedo é simplesmente ofensivo.

### Seja cauteloso ao usar as mãos para cuidados pessoais

Usamos os dedos para cuidar de nossas roupas, nosso cabelo e nosso corpo quando estamos preocupados com a aparência. Quando estão interessados em alguém, os seres humanos praticam quantidades cada vez maiores de cuidados pessoais – relativos não apenas à nossa aparência, como à de nossos companheiros. A intimidade permite que a mulher remova gentilmente um fio de algodão da manga do homem, enquanto ele pode limpar alguma sujeira da boca dela. Esses comportamentos também são vistos entre mãe e filho – não só em humanos, mas também em outros mamíferos e alguns pássaros – e são indicativos de cuidado e intimidade. Quando observados em um casal, a quantidade de cuidados entre os parceiros é um bom indicativo de sua afinidade e do nível de intimidade permitido.

Mas cuidados pessoais também podem gerar percepções negativas. Por exemplo, é rude e desrespeitoso que uma pessoa fique se ajeitando, focando apenas nela própria, quando deveria estar prestando atenção em outra pessoa (ver Figura 47). Além disso, existem alguns gestos de cuidado pessoal que são mais socialmente aceitáveis em público do que outros. Não há problema em tirar um fio de algodão do suéter no ônibus, mas cortar as unhas já seria outra história. Além disso, o cuidado pessoal que é socialmente aceitável em um cenário ou uma cultura pode não ser tão naturalizado em outro. Também é inapropriado que uma pessoa interfira na aparência de outra quando ambas não alcançaram um nível de intimidade que justifique esse comportamento.

**Figura 47**

Ficar se ajeitando é aceitável, mas não quando os outros estão falando com você. Isso é sinal de desdém.

## A aparência física das mãos

Analisando as mãos das pessoas, às vezes é possível avaliar o tipo de atividade em que estão envolvidas. Aquelas que realizam trabalho manual terão mãos ásperas e calosas. Cicatrizes podem indicar trabalho em uma fazenda ou ferimentos ocorridos em uma disputa esportiva. Ficar em pé com os braços estendidos dos dois lados e as mãos em punho pode indicar uma experiência militar anterior. Um guitarrista pode ter calos na ponta dos dedos de uma mão.

As mãos também indicam quanto cuidamos de nós mesmos e o que achamos de convenções sociais. As mãos podem estar bem cuidadas ou desgrenhadas. As unhas podem estar feitas ou parecer maltratadas. Unhas longas em homens são vistas como algo estranho ou afeminado, e pessoas que roem unha geralmente são avaliadas como nervosas ou inseguras (ver Figura 48). Uma vez que nosso cérebro foca tanto nas mãos, você deve prestar uma atenção extra na higiene delas, pois outras pessoas certamente vão ficar reparando nessas partes do seu corpo.

## Aprenda a lidar com mãos suadas

Ninguém gosta de apertar uma mão úmida, por isso aconselho àqueles que suam muito nas mãos que, quando forem conhecer alguém especialmente importante (como empregadores em potencial, futuros sogros ou indivíduos em posição de conceder favores), as sequem antes de cumprimentar essa pessoa. Essa transpiração ocorre não apenas quando estamos sob calor excessivo, mas também quando estamos nervosos ou sob estresse. Quando repara que alguém está com as mãos suadas, você pode suspeitar que ele está sob estresse (uma vez que a estimulação límbica causa transpiração). Use essa oportunidade para conquistar alguns pontos interpessoais fazendo o possível para ajudar a pessoa a se acalmar. Deixar as pessoas à vontade quando estão estressadas é uma das melhores maneiras de garantir interações mais honestas, eficazes e bem-sucedidas.

**Figura 48**

Roer unhas geralmente é percebido como sinal de insegurança ou nervosismo.

Há quem acredite que, se suas mãos estão suadas, é porque você deve estar mentindo. Isso simplesmente não condiz com a realidade. A mesma parte do sistema nervoso que é ativada durante a resposta de congelamento, fuga ou luta límbica (o sistema nervoso simpático) também controla as glândulas sudoríparas. Uma vez que algo tão simples quanto conhecer alguém pode fazer as mãos transpirarem, esse fenômeno *não pode* ser interpretado como indicativo de dissimulação. Aproximadamente 5% da população sua profusamente, e a transpiração crônica deixa a palma das mãos desconfortavelmente molhada (uma doença conhecida como hiperidrose) (Collett, 2003, 11). Mãos suadas são indicativo não de dissimulação, mas apenas de estresse ou, em alguns casos, de distúrbio genético. Tenha cuidado ao avaliar o que motivou essa reação corporal.

# INTERPRETAÇÃO DOS SINAIS NÃO VERBAIS DAS MÃOS

Até aqui, examinamos como o comportamento e a aparência de nossas mãos podem influenciar a maneira como os outros nos percebem. Agora vamos examinar alguns sinais não verbais das mãos que vão nos ajudar a interpretar o que as outras pessoas estão pensando e sentindo. Começarei com alguns comentários gerais sobre como nossas mãos revelam informações e então passarei para alguns gestos específicos que refletem alta ou baixa autoconfiança e que podem ser úteis para entender as pessoas que encontramos.

## O nervosismo nas mãos envia uma mensagem importante

Os músculos que controlam as mãos e os dedos são projetados para movimentos precisos e delicados. Quando o cérebro límbico é estimulado e estamos estressados e nervosos, um aumento na atividade de neurotransmissores e hormônios como a adrenalina (epinefrina) causa tremores incontroláveis das mãos. Nossas mãos também tremem quando ouvimos, vemos ou pensamos em algo que tem consequências negativas. Qualquer objeto segurado pode passar a impressão de que esse tremor está muito mais intenso do que de fato está, enviando uma mensagem que diz "Estou estressado" (ver Quadro 39). Esse tremor fica particularmente perceptível quando uma pessoa está segurando um objeto alongado, como um lápis ou um cigarro, ou algo relativamente grande mas leve, como uma folha de papel. O objeto começará a tremer ou balançar imediatamente após a afirmação ou o evento que deu origem às circunstâncias estressantes.

Emoções positivas também podem causar tremores nas mãos, seja quando uma pessoa segura um bilhete de loteria premiado, seja quando ela consegue uma sequência de cartas imbatível no pôquer. Quando estamos genuinamente empolgados, nossas mãos tremem, às vezes de modo incontrolável. Essas reações são acionadas pelo sistema límbico. No aeroporto, quando pais, cônjuges e outros membros da família esperam ansiosamente o retorno de algum soldado ou parente, suas mãos tremem de emoção. Eles podem restringir esse movimento segurando a mão de outra pessoa, cruzando os braços e mantendo as mãos embaixo das axilas ou segurando uma mão na outra na altura do peito. Vídeos antigos da primeira visita dos Beatles aos

Estados Unidos estão repletos de meninas segurando as mãos umas das outras para combater o tremor que acompanhava a extrema empolgação delas.

Obviamente, primeiro você deve determinar se as mãos estão trêmulas por causa de medo ou alegria avaliando o *contexto* – examinando as circunstâncias em que o comportamento ocorreu. Se o tremor for acompanhado de gestos pacificadores, como tocar o pescoço ou pressionar os lábios, é mais provável que eu suspeite que a reação esteja relacionada a estresse (algo negativo) em vez de a algo positivo.

É importante observar que mãos trêmulas são relevantes como comunicação não verbal apenas quando representam uma mudança nos movimentos normais de alguém. Se as mãos de uma pessoa sempre tremem porque, por exemplo, ela toma muito café ou é viciada em drogas ou álcool, o tremor, embora informativo, torna-se parte do comportamento não verbal padrão dela. Da mesma forma que em pessoas com certos distúrbios neurológicos (por exemplo, doença de Parkinson), o tremor das mãos talvez não indique seu estado emocional. Na verdade, se essa pessoa de repente parar de tremer por um momento, isso pode indicar uma tentativa deliberada de se concentrar mais profundamente no comportamento das mãos (Murray, 2007). Lembre-se: a *mudança* no comportamento é o fator mais significativo.

---

### QUADRO 39: **ONDE HÁ FUMAÇA (AGITAÇÃO), HÁ FOGO**

Durante meu trabalho em uma importante investigação de espionagem, interroguei um suspeito no caso. Enquanto eu o observava, ele acendeu um cigarro e começou a fumar. Eu estava sem pistas reais sobre sua possível conexão com o caso; eu tinha apenas uma vaga ideia sobre quem poderia estar envolvido, e não havia testemunhas do crime, nem uma pista importante. Durante o interrogatório, eu trouxe à tona muitos nomes de pessoas de interesse para o FBI e o Exército no caso em questão. Sempre que eu mencionava o nome de um indivíduo específico chamado Conrad, o cigarro do homem tremia na mão dele como a agulha de um polígrafo. Para verificar se isso era um movimento aleatório ou algo mais significativo, mencionei outros nomes para testar suas reações; nada. No entanto, em quatro ocasiões distintas, quando mencionei Conrad, o cigarro do sujeito ficou tremendo insistentemente. Para mim, isso foi suficiente para confirmar que havia mais no relacionamento entre o interrogado e Conrad do que sabíamos. O tremor era uma reação límbica a uma ameaça e também uma indicação de que esse indivíduo se sentira de alguma forma ameaçado pela revelação desse nome; portanto, ele provavelmente tinha conhecimento de algo nefasto ou estava diretamente envolvido no crime.

Durante o primeiro interrogatório com o indivíduo, eu não sabia se ele estava de fato envolvido, porque, francamente, eu não tinha dados suficientes sobre o caso. A única coisa que nos levou a prosseguir com a investigação e a mais interrogatórios foi o fato de ele ter reagido a um nome com a resposta da "mão trêmula". Talvez, não fosse por esse único comportamento, ele tivesse escapado da justiça. Por fim, depois de muitos depoimentos voluntários ao longo de um ano, ele admitiu seu envolvimento com Conrad em atividades de espionagem e acabou confessando seus crimes.

---

Via de regra, qualquer tremor que comece ou pare repentinamente, ou que seja de alguma forma bastante diferente do comportamento padrão, merece um exame mais aprofundado. Considerando o contexto em que isso ocorre, quando ocorre e qualquer outra informação que possa dar suporte a uma dedução específica, você vai melhorar sua capacidade de interpretar uma pessoa corretamente.

## DEMONSTRAÇÕES DE ELEVADA AUTOCONFIANÇA

Uma demonstração de elevada autoconfiança reflete alto grau de bem-estar e autoconfiança do cérebro. Vários indicativos desse estado de ânimo executados pelas mãos nos alertam que a pessoa se sente bem e à vontade com seu estágio de vida atual.

## Mãos em torre

As *mãos em torre* devem ser o indicativo mais poderoso de elevada autoconfiança (ver Figura 49). Envolve tocar as pontas dos dedos de uma mão nas pontas dos da outra, com os dedos estendidos. O gesto é semelhante ao utilizado em orações, mas os dedos *não* estão entrelaçados e as palmas das mãos não estão se tocando. É chamado de torre porque as mãos formam algo que se parece com o topo pontiagudo do campanário de uma igreja. Nos Estados Unidos, as mulheres tendem a replicar esse gesto em uma posição mais baixa (talvez na altura da cintura), o que às vezes dificulta a observação do comportamento. Os homens tendem a fazê-lo em uma posição mais alta, no nível do peito, o que o torna mais visível e poderoso.

Posicionar as mãos em torre significa que você está seguro quanto aos seus pensamentos ou seu posicionamento. Esse gesto permite que outras pessoas saibam exatamente como você se sente em relação a algo e quanto você confia no próprio ponto de vista (ver Quadro 40). Pessoas de status elevado (advogados, juízes, médicos) costumam usar as mãos em torre como parte de seu repertório comportamental diário por causa de sua autoconfiança e de seu prestígio. Todos nós já fizemos esse gesto vez ou outra, mas em graus variados e usando diferentes estilos. Alguns o executam o tempo todo; outros, raramente; outros ainda têm várias maneiras de colocar as mãos em torre (como apenas o dedo indicador e o polegar estendidos se tocando enquanto os dedos restantes permanecem entrelaçados). Alguns o fazem sob a mesa; outros fazem isso bem à frente deles ou até acima da cabeça.

Pessoas que desconhecem o poderoso significado não verbal das mãos em torre continuam com as mãos unidas nesse gesto por períodos significativos de tempo,

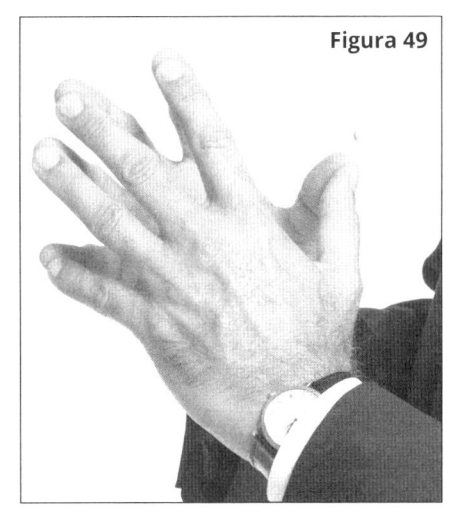

**Figura 49**

Mãos em torre, ou pontas dos dedos unidas, são uma das demonstrações mais poderosas de segurança.

principalmente se as circunstâncias permanecerem positivas para elas. Mesmo quando estão cientes de que esse comportamento é um indicativo, elas têm dificuldade para ocultá-lo. Nessas pessoas, o cérebro límbico transformou o gesto em uma resposta tão automática que é difícil evitá-lo, porque, particularmente quando um indivíduo está empolgado, ele se esquece de monitorar e controlar essa reação.

As circunstâncias podem mudar rapidamente e alterar nossas reações a coisas e pessoas. Quando isso acontece, podemos passar de um gesto de mãos em torre para um de baixa autoconfiança em questão de milissegundos. No momento em que nossa autoconfiança é abalada ou a dúvida entra em nossa mente, os dedos das mãos em torre podem se entrelaçar como em uma oração (ver Figura 50). Essas mudanças no comportamento não verbal ocorrem de maneira rápida e precisa, refletindo e definindo em tempo real nossas reações internas aos eventos em constante transformação. Uma pessoa pode passar de um gesto de mãos em torre (elevada autoconfiança) para um de dedos entrelaçados (baixa autoconfiança) e voltar para o primeiro – refletindo a redução da autoconfiança e a oscilação da dúvida.

**Figura 50**

Segurar uma mão na outra com os dedos entrelaçados é uma maneira universal de mostrar que estamos estressados ou preocupados.

Você também pode utilizar as mãos para passar uma impressão positiva. As mãos em torre podem gerar tanta segurança e autoconfiança que é difícil desafiar uma pessoa que exibe esse tipo de sinal não verbal. É muito útil adotar esse gesto; palestrantes e vendedores devem usá-lo frequentemente para enfatizar algum ponto importante, assim como qualquer pessoa que tente transmitir seu posicionamento. Considere passar segurança através de gestos das mãos em uma entrevista de emprego, quando se apresentar em uma reunião ou simplesmente discutir qualquer assunto com os amigos.

Com bastante frequência, durante reuniões de trabalho, vejo mulheres com mãos em torre embaixo da mesa ou em uma posição muito baixa, minimizando a segurança que de fato estão sentindo. Espero que, ao reconhecerem o poder desse gesto como um indicativo de autoconfiança, competência e segurança – características pelas quais a maioria das pessoas gostaria de ser reconhecida –, mais mulheres juntem as mãos dessa forma, e acima da mesa.

---

### QUADRO 40: MÃOS EM TORRE NOS TRIBUNAIS

O poder do comportamento não verbal pode ser documentado por meio do estudo do impacto das mãos em torre em vários contextos sociais. Esse gesto é útil, por exemplo, para quem vai depor em um tribunal; tanto que, em treinamentos, os instrutores recomendam que testemunhas especialistas o utilizem. Por meio desse tipo de gesto, elas devem buscar enfatizar um ponto ou indicar que estão muito seguras sobre o que estão afirmando. Ao fazer isso, o júri vai considerar o testemunho delas mais poderoso do que se elas tivessem simplesmente colocado as mãos no colo ou entrelaçado os dedos. É interessante notar que, quando um promotor público coloca as mãos em torre enquanto a testemunha depõe, o valor do testemunho também aumenta, porque o júri avalia que o advogado está seguro quanto às declarações da testemunha. Quando os jurados veem testemunhas entrelaçando os dedos ou contorcendo as mãos, eles tendem a associar esse comportamento a nervosismo ou, com muita frequência, infelizmente, a dissimulação. É importante observar que tanto indivíduos honestos como desonestos executam esses comportamentos, e isso não deve ser automaticamente associado a falso testemunho. Recomenda-se que, ao depor, as pessoas posicionem as mãos em torre ou em concha sem entrelaçar os dedos, pois esses gestos transmitem mais autoridade, autoconfiança e autenticidade.

## GESTOS COM O POLEGAR

É interessante como a linguagem verbal às vezes reflete a linguagem não verbal. Quando alguém exibe dois polegares para cima, isso indica confiança em relação ao que está acontecendo no momento. *Polegar para cima* é quase sempre um sinal não verbal de elevada autoconfiança. Curiosamente, também está associado a status elevado. Veja imagens de John F. Kennedy e repare com que frequência ele colocava as mãos no bolso do casaco com os polegares para fora (ver Figura 51). Seu irmão Bobby fazia a mesma coisa. Advogados, professores universitários e médicos costumam ser vistos com as mãos na lapela, mantendo os polegares para cima. Existe uma rede nacional de estúdios de moda/fotografia que invariavelmente fotografa mulheres com pelo menos uma mão segurando a gola com o polegar para cima. Aparentemente, a equipe de marketing dessa empresa também reconhece que o polegar para cima é uma demonstração de elevada autoconfiança ou prestígio.

**Figura 51**

Frequentemente visto em indivíduos de prestígio, o polegar para fora do bolso é uma demonstração de alta confiança.

### Demonstrações de elevada autoconfiança e prestígio com o polegar

Quando as pessoas colocam o polegar para cima, é sinal de que elas têm bons pensamentos sobre si mesmas e/ou estão confiantes na circunstância presente (ver Figuras 52 e 53). O polegar para cima é outro exemplo de

**Figura 52**

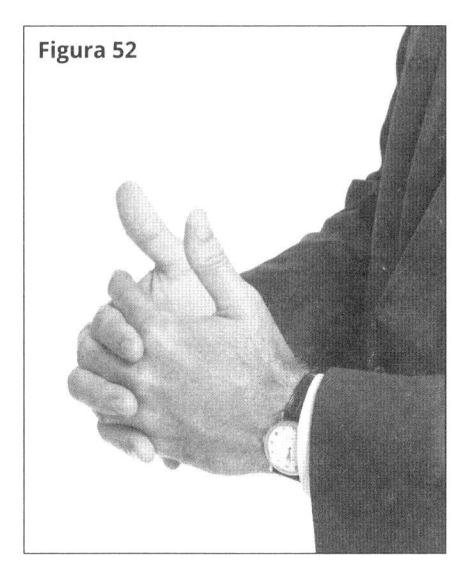

**Figura 53**

Polegar para cima geralmente é um bom indicativo de pensamentos positivos. Isso pode variar bastante durante uma conversa.

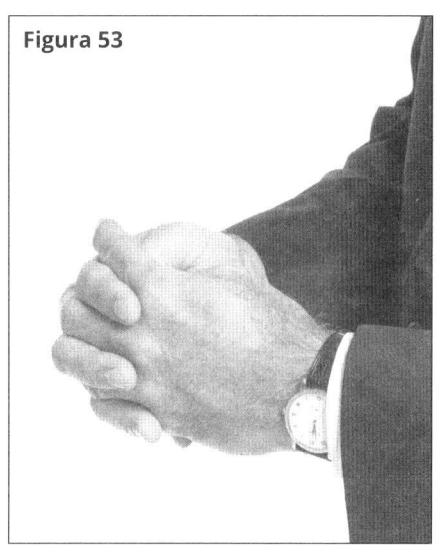

Os polegares podem desaparecer repentinamente, como nesta foto, quando o gesto é menos enfático ou as emoções se tornam negativas.

gesto que desafia a gravidade, um tipo de comportamento não verbal normalmente associado a bem-estar e elevada autoconfiança. Normalmente, o entrelaçamento dos dedos demonstra baixa autoconfiança, a não ser que os polegares estejam voltados para cima. Pessoas que fazem gestos com o polegar tendem a estar mais conscientes de seu ambiente, a ser mais inteligentes e mais afiadas em suas observações. Observe as pessoas que manifestam o comportamento do polegar para cima e você vai perceber como elas se encaixam nesse perfil. Normalmente, as pessoas não colocam o polegar para cima; portanto, quando o fazem, é quase certo que esse comportamento seja um importante indicativo de emoções positivas.

### Demonstrações de baixa autoconfiança e baixo prestígio com o polegar

Sentimentos de baixa autoconfiança podem ficar em evidência quando uma pessoa (geralmente um homem) coloca os polegares no bolso e deixa os demais dedos de fora (ver Figura 54). Particularmente em um ambiente de contratações, esse sinal diz: "Estou muito inseguro." Líderes ou indivíduos que estão no controle não manifestam esse comportamento quando desempenham sua função. Uma pessoa de status elevado até exibe esse comportamento por um breve período de tempo, mas só quando está relaxada e despreocupada, nunca quando está "na ativa". Isso quase sempre é uma demonstração de baixa autoconfiança ou falta de status elevado.

O significado de gestos com o polegar é tão preciso que pode ajudá-lo a avaliar eficazmente quem está se sentindo bem consigo mesmo e quem está travando uma luta interna. Já vi homens fazerem uma apresentação poderosa pontuada por mãos em torre, mas, quando um ouvinte revelou um erro no discurso, colocarem os polegares no bolso. Esse tipo de gesto com o polegar lembra um filho pequeno em pé na frente de uma mãe decepcionada com ele. Indica que alguém deixou de ter elevada autoconfiança para ter baixa autoconfiança em um curto espaço de tempo (ver Quadro 41).

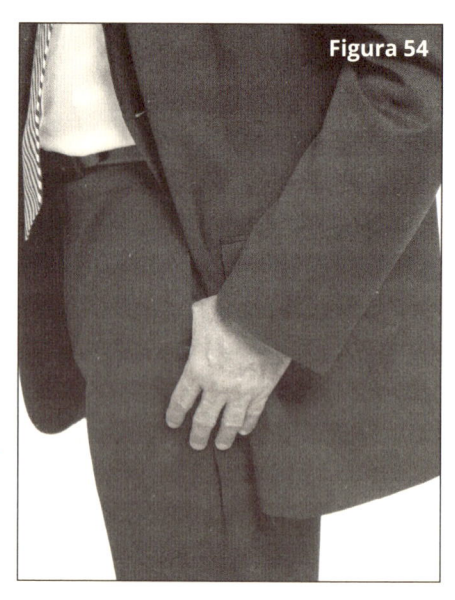

**Figura 54**

Polegares no bolso indicam baixa autoconfiança e falta de status elevado. Pessoas em posição de autoridade devem evitar esse gesto porque ele passa a mensagem errada.

---

## QUADRO 41: SEGURANÇAS INSEGUROS

Quando me hospedei em um hotel mundialmente famoso em Bogotá, Colômbia, o gerente geral comentou comigo que recentemente havia contratado alguns seguranças e que, embora não conseguisse especificar o quê, havia algo neles de que não gostava. Ele sabia que eu tinha trabalhado no FBI e perguntou se eu havia notado algo estranho nos novos membros da equipe. Fomos para o posto de trabalho dos seguranças e demos uma olhada rápida. O gerente observou que, embora os uniformes fossem novos e as botas estivessem brilhando, algo ali não estava certo. Concordei que os uniformes davam um ar bastante profissional, mas ressaltei que os seguranças estavam em pé com os polegares nos bolsos, parecendo frágeis e incompetentes. A princípio, o gerente pareceu não concordar com o que eu estava dizendo, até que ele mesmo ocasionalmente adotou essa postura. Quando se deu conta disso, imediatamente falou: "Você tem razão. Parecem crianças esperando que a mãe lhes diga o que fazer." No dia seguinte, os seguranças foram instruídos sobre qual seria a postura que passava a ideia de autoridade (mãos nas costas, queixo erguido) sem parecerem ameaçadores aos hóspedes. Às vezes, pequenos detalhes significam muito. Nesse caso, os polegares nos bolsos foram poderosas demonstrações de baixa autoconfiança – não exatamente o que você deseja de uma força de segurança. Faça esse teste por conta própria. Mantenha os polegares nos bolsos e pergunte às pessoas o que elas pensam de você. Os comentários irão confirmar a atitude pouco elogiosa e frágil que essa postura projeta. Você nunca verá um candidato à presidência ou o líder de um país com os polegares nos bolsos. Esse comportamento não é visto em indivíduos seguros (ver Figura 55).

**Figura 55**

Frequentemente usados como sinal de insegurança ou desconforto, polegares nos bolsos transmitem rapidamente essa mensagem e, portanto, devem ser evitados.

### Emoldurando a genitália

Às vezes, inconscientemente, os homens enfiam os polegares por dentro do cós da calça e a puxam, ou até mesmo deixam os polegares aí, enquanto os dedos suspensos "emolduram" a genitália (ver Figura 56). Essa atitude é uma poderosa demonstração de dominância. Em essência, isso diz: "Vejam só, sou um homem viril."

Pouco tempo depois de começar a escrever este livro, discuti esse comportamento não verbal quando dei uma aula no FBI em Quantico, Virgínia. Os alunos zombaram, dizendo que nenhum homem, ainda mais inconscientemente, ostentaria sua sexualidade de forma tão descarada. No dia seguinte, um dos alunos disse à turma que havia observado um aluno no banheiro em frente ao espelho que se ajeitou, colocou óculos de sol e, por um momento, "emoldurou" os genitais antes de sair todo orgulhoso do banheiro. Tenho certeza de que o rapaz não estava pensando no que fazia. Mas, de fato, o ato de emoldurar os genitais ocorre com mais frequência do que imaginamos.

**Figura 56**

O uso das mãos para emoldurar a genitália costuma ser visto em homens e mulheres jovens durante os anos de namoro. É uma demonstração de dominância.

## GESTOS DE MÃO QUE TRANSMITEM BAIXA AUTOCONFIANÇA OU ESTRESSE

Gestos de baixa autoconfiança são o oposto dos que transmitem elevada autoconfiança. Refletem desconforto e insegurança. Demonstrações de baixa autoconfiança devem alertar-nos de que o indivíduo está experimentando emoções negativas que podem ser causadas por uma situação incômoda ou por pensamentos que induzem incerteza ou pouca segurança.

### Mãos congeladas

Pesquisas mostram que os mentirosos tendem a gesticular menos, tocar menos nos outros e mover menos os braços e pernas do que as pessoas honestas (Vrij, 2003, 65). Essa afirmativa é consistente com o que sabemos sobre reações límbicas. Diante de uma ameaça (nesse caso, depois de contar uma mentira), passamos a nos mover menos ou congelamos para não atrair atenção. É possível observar esse comportamento durante conversas, porque os braços de uma pessoa se retraem bastante quando ela conta uma mentira e, por outro lado, ficam animados se ela está sendo sincera. Como essas mudanças de comportamento são controladas pelo sistema límbico e não pelo cérebro pensante, são mais confiáveis e úteis do que palavras faladas; indicam o que está de fato acontecendo na mente da pessoa que está falando (ver Quadro 42). Portanto, reduções de movimento de mãos e braços dizem muito sobre o que está acontecendo na mente da pessoa.

### Mãos entrelaçadas

Quando as pessoas contorcem as mãos ou entrelaçam os dedos, particularmente em resposta a um comentário, um evento ou uma mudança significativos no ambiente, esse gesto normalmente é indicativo de estresse ou baixa autoconfiança (ver Figura 50). Quando exibem esse gesto apaziguador comum, visto em todo o mundo, as pessoas passam a impressão de que estão rezando – e talvez inconscientemente estejam. À medida que a intensidade do entrelaçamento das mãos aumenta, a cor dos dedos pode até mudar, já que essas áreas empalidecem pelo fato de o sangue ser desviado para longe dos pontos de tensão. Esse comportamento se manifesta com mais intensidade quando a situação no ambiente piora por algum motivo.

---

QUADRO 42: **UMA EXPERIÊNCIA MENOS QUE COMOVENTE**

---

A tendência dos mentirosos a serem menos vigorosos em seus movimentos foi uma das principais razões que me fizeram não acreditar em uma jovem mulher que dissera aos policiais da delegacia local que o filho dela de 6 meses havia sido sequestrado no estacionamento de um Walmart em Tampa, Flórida. Enquanto a mulher contava sua história, eu a fiquei observando de uma sala de monitoramento. Depois de testemunhar seu comportamento, falei aos investigadores que eu não acreditava nela; a moça estava muito contida. Quando as pessoas dizem a verdade, elas fazem todos os esforços para garantir que você as entenda. Gesticulam com os braços e ficam enfaticamente expressivas. Não foi isso que aconteceu com a suspeita. O relato de uma mãe amorosa e distraída sobre um terrível sequestro seria acompanhado por gestuais mais ostensivos e emocionados. A ausência desse comportamento nos colocou em alerta. Depois de um tempo a mulher confessou que havia matado o filho, colocando-o em um saco plástico de lixo. A história do sequestro tinha sido uma completa invenção. A resposta de congelamento do sistema límbico que restringiu seus movimentos revelou a mentira.

---

### Esfregar as mãos e entrelaçar os dedos

Uma pessoa que está em dúvida (menor grau de autoconfiança) ou sob baixo nível de estresse só vai esfregar uma palma da mão na outra, levemente (ver Figura 57). Mas se a situação ficar mais estressante ou se o nível de autoconfiança dela continuar a cair, observe como o movimento de repente fica muito mais intenso e daí evolui para um forte entrelaçamento dos dedos (ver Figura 58). Este último é um indicador bastante preciso de muita angústia, o que já pude comprovar nos depoimentos mais críticos – tanto no FBI como no Congresso. Assim que surge um tema extremamente

**Figura 57**

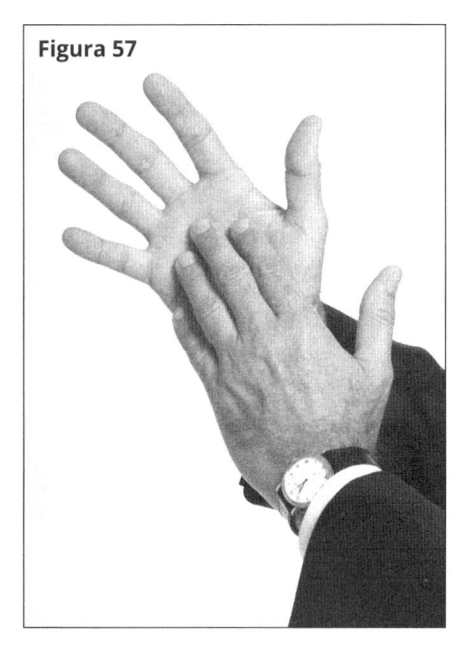

**Figura 58**

Frequentemente, aliviamos a ansiedade ou o nervosismo acariciando os dedos ao longo da palma da mão ou esfregando uma mão na outra.

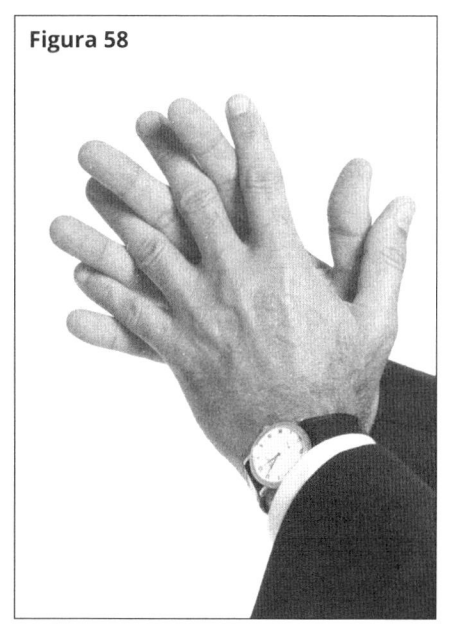

Quando os dedos se entrelaçam como nesta foto, é porque o cérebro está pedindo um contato extra das mãos para amenizar preocupações ou ansiedade mais sérias.

delicado, os dedos se esticam e se entrelaçam, ou então as mãos começam a se esfregar para cima e para baixo. Acho que o aumento do contato tátil entre as mãos fornece mensagens pacificadoras ao cérebro.

## Toque no pescoço

Discutiremos o toque no pescoço neste capítulo sobre os comportamentos das mãos porque, se você ficar prestando atenção, elas acabarão indo até o pescoço. As pessoas que tocam o pescoço (em qualquer área dele) enquanto falam estão, na verdade, refletindo autoconfiança abaixo do normal ou então aliviando o estresse. Cobrir a área do pescoço, da garganta e/ou da fenda supraesternal durante períodos de estresse é um indicativo forte e universal de que o cérebro está ativamente processando algo ameaçador, censurável, perturbador, questionável ou emocional. Não tem nada a ver com dissimulação, embora pessoas desonestas possam demonstrar esse comportamento se estiverem perturbadas. Assim, mais uma vez, preste atenção nas mãos, porque, à medida que as pessoas sentirem desconforto ou angústia, elas vão cobrir ou tocar o pescoço.

---

**QUADRO 43: ENVOLTO EM MENTIRAS ATÉ O PESCOÇO**

Às vezes, *não* cobrir o pescoço pode ser um indício revelador de que algo está errado. Certa vez ajudei uma agência de segurança em um caso envolvendo um suposto estupro. A mulher que relatou o ataque falou em três ocorrências de estupro em um período de cinco anos, dado estatisticamente improvável. Ao assistir ao vídeo de seu depoimento, notei que, enquanto falava como estava assustada e se sentindo mal, ela permanecia extremamente passiva e não cobriu a fenda supraesternal nenhuma vez. Achei essa "falta de comportamento" suspeita e chamei a atenção dos investigadores para isso. A mulher simplesmente não demonstrava os sinais típicos de aflição. Em outras investigações de estupro que eu tinha feito, as mulheres cobriram a fenda supraesternal ao recontar o crime, mesmo décadas depois do ocorrido. Após uma investigação mais aprofundada, o caso da mulher impassível foi desmascarado. No final, soubemos que ela tinha inventado tudo aquilo – custando milhares de dólares para a cidade – apenas para atrair a atenção dos policiais em serviço, dos investigadores e dos grupos de apoio às vítimas, que a princípio acreditaram nela e quiseram ajudar.

---

Não sei dizer quantos milhares de vezes vi esse comportamento, ainda que a maioria das pessoas desconheça seu significado (ver Quadro 43). Certa vez, eu estava conversando com um amigo do lado de fora de uma sala de conferências quando uma funcionária saiu com uma mão sobre a covinha do pescoço e a outra segurando um celular. Meu amigo continuou falando como se nada mais estivesse errado. Quando a mulher no celular desligou, eu disse: "É melhor verificarmos o que houve, algo aconteceu." De fato, um dos filhos dela havia apresentado febre alta na escola e ela precisava ir para casa o mais rápido possível. O toque no pescoço é um desses indicativos tão confiáveis e precisos que realmente merecem nossa atenção.

### Microexpressões das mãos

Um *microgesto* é um comportamento não verbal muito breve que ocorre quando uma pessoa está tentando suprimir uma resposta natural a um estímulo negativo (Ekman, 2003, 15). Nessas circunstâncias, quanto mais breve o gesto, mais verdadeiro ele tende a ser. Por exemplo, vamos imaginar que um chefe diz a um funcionário que ele deve trabalhar no fim de semana porque alguém está doente. Ao ouvir a notícia, o funcionário contrai um pouco o nariz ou abre um leve sorriso forçado, mas tudo bem rápido. Esses microgestos de aversão são indicativos muito precisos de como a pessoa realmente se sente. Da mesma forma, nossas mãos exibem microexpressões que podem surpreendê-lo (ver Quadro 44).

## ALTERAÇÕES NOS COMPORTAMENTOS DAS MÃOS PODEM REVELAR INFORMAÇÕES IMPORTANTES

Como em todos os comportamentos não verbais, alterações repentinas no movimento das mãos indicam uma mudança abrupta nos pensamentos ou sentimentos de alguém. Quando amantes afastam rapidamente as mãos um do outro durante uma refeição, é sinal de que algo negativo acabou de acontecer. A retração das mãos pode acontecer em questão de segundos, mas é um indicador em tempo real muito preciso dos sentimentos da pessoa.

A retração gradual das mãos também é digna de nota. Algum tempo atrás, um casal amigo meu dos tempos de faculdade me convidou para jantar. Estávamos conversando ao final da refeição quando surgiu o tema finanças. Meus amigos contaram que estavam enfrentando problemas financeiros. Enquanto a esposa reclamava de como "o dinheiro parecia simplesmente sumir", gradualmente as mãos do marido desapareceram de cima da mesa. À medida que ela falava, observei que ele foi afastando lentamente as mãos até por fim pousá-las no colo. Esse tipo de movimento é um indicativo de *fuga psicológica* (parte do nosso mecanismo de sobrevivência límbica), que geralmente ocorre quando somos ameaçados. O comportamento indicava que o marido estava escondendo alguma coisa. Como acabei descobrindo, ele vinha furtando dinheiro da conta conjunta do casal para sustentar o hábito de jogar, um vício que acabou lhe custando o casamento. Seu sentimento de culpa pelos saques secretos explicava por que as mãos tinham se afastado da mesa. Embora o movimento tenha sido lento, foi suficiente para eu suspeitar de que algo estava errado.

### QUADRO 44: UM "DELICADO" DEDO DO MEIO

Em seu notável livro *Telling Lies*, o Dr. Paul Ekman descreve sua pesquisa usando câmeras de alta velocidade para captar microgestos que inconscientemente comunicam que o indivíduo está desgostoso ou suas verdadeiras emoções (Ekman, 1991, 129-131). Um desses microgestos é a exibição do dedo do meio. Em um grande caso de segurança nacional em que eu estive pessoalmente envolvido como observador, um indivíduo usou repetidamente o dedo do meio para arrumar os óculos sempre que o principal interrogador do Departamento de Justiça (a quem ele desprezava) fazia perguntas. O suspeito não replicou esse gesto com outros interrogadores, somente com esse interrogador de quem ele claramente não gostava. A princípio, não acreditamos que esse gesto era um indicativo, apesar de muito breve e de tão claramente só ser mostrado a um único interrogador. Felizmente, as entrevistas foram filmadas como parte de um acordo de delação (isto é, o sujeito concorda em cooperar para que receba uma sentença mais branda), assim pudemos examinar a fita para confirmar o que estávamos percebendo.

Talvez igualmente interessante, o principal interrogador ainda não tinha reparado no gesto e, quando informado sobre o que estava acontecendo, recusou-se a aceitar que isso fosse indicativo da antipatia do interrogado. Quando tudo acabou, porém, o interrogado fez um comentário áspero sobre quanto ele desprezava o principal interrogador, e ficou evidente que ele havia tentado subverter o depoimento por causa desse choque de personalidades.

Existem vários tipos de microgesto das mãos, incluindo descer as mãos ao longo das pernas e então levantar o dedo do meio no momento em que as mãos tocam os joelhos. Isso foi observado em homens e mulheres. Mais uma vez, esses microgestos ocorrem muito rapidamente e podem ser facilmente ocultados por outras atividades. Preste atenção nesses comportamentos e não os despreze. No mínimo, microgestos devem ser examinados no contexto como indicadores de inimizade, aversão, desprezo ou desdém.

---

Uma das coisas mais importantes que você pode fazer em relação às mãos é observar quando elas ficam inativas. Quando as mãos param de indicar e enfatizar, geralmente isso é um sinal de mudança na atividade cerebral (talvez por falta de comprometimento) e motivo para maior atenção e avaliação. Embora, como observamos, a retração das mãos possa sinalizar dissimulação, não chegue imediatamente a essa conclusão. A única inferência que você pode extrair no momento em que as mãos ficam imóveis é que o cérebro está comunicando uma mudança de sentimento ou pensamento. Esse fenômeno pode simplesmente refletir menos segurança ou menos conexão com o que está sendo dito, por várias razões. Lembre-se de que qualquer desvio do comportamento normal das mãos – seja aumento ou redução de atividade, ou apenas um movimento incomum – deve ser considerado por sua significância.

## OBSERVAÇÕES FINAIS SOBRE COMPORTAMENTOS NÃO VERBAIS DE MÃOS E DEDOS

A maioria de nós passa tanto tempo estudando o rosto das pessoas que subutiliza as informações fornecidas pelas mãos. As mãos sensíveis dos seres humanos não apenas sentem e percebem o mundo ao seu redor, como também refletem nossas respostas a esse mundo. Ficamos sentados na frente do gerente do banco, imaginando se nosso empréstimo será aprovado, com as mãos à nossa frente, dedos entrelaçados (como se rezando), refletindo a tensão e o nervosismo dentro de nós. Ou, em uma reunião de negócios, as mãos podem assumir uma posição, informando aos outros que estamos confiantes. Nossas mãos podem tremer à simples menção do nome de alguém que nos traiu no passado. Mãos e dedos podem fornecer uma grande quantidade de informações significativas. Só precisamos observar e decodificar suas ações corretamente e no contexto.

Você pode saber como alguém se sente em relação a você a partir de um único toque. As mãos são transmissores poderosos do nosso estado emocional. Use-as em suas comunicações não verbais e conte com elas para obter informações não verbais valiosas sobre os outros.

SETE

# A tela da mente

## Comportamentos não verbais do rosto

Quando se trata de emoções, nosso rosto é a tela da mente. O que sentimos é perfeitamente comunicado por meio de um sorriso, uma testa franzida ou outras incontáveis nuances. Isso é uma dádiva evolucionária que nos diferencia de todas as demais espécies e nos torna os animais mais expressivos do planeta.

As expressões faciais, mais do que qualquer coisa, servem como nossa linguagem universal – nossa língua franca transcultural – quer você esteja aqui (onde quer que "aqui" seja) ou em Bornéu. Essa linguagem internacional funcionou como um meio prático de comunicação desde os primórdios da humanidade, para facilitar o entendimento entre pessoas que não falam a mesma língua.

Ao observar as pessoas, conseguimos reconhecer rapidamente quando alguém está surpreso, interessado, entediado, cansado, ansioso ou frustrado. É possível olhar para nossos amigos e saber quando eles estão descontentes, em dúvida, felizes, angustiados, decepcionados, incrédulos ou preocupados. As expressões das crianças nos informam se estão tristes, empolgadas, perplexas ou nervosas. Nunca fomos ensinados especificamente a replicar ou interpretar esses comportamentos faciais e, no entanto, todos nos comunicamos por meio deles, os conhecemos, os replicamos e interpretamos.

Com todos os vários músculos que controlam precisamente boca, lábios, olhos, nariz, testa e mandíbula, os rostos humanos são bem equipados para produzir uma imensa variedade de expressões. Estima-se que os humanos sejam capazes de demonstrar mais de 10 mil expressões faciais diferentes (Ekman, 2003, 14-15). Essa versatilidade torna os sinais não verbais do rosto extremamente eficientes e, quando não sofrem interferências, bastante honestos. Expressões faciais que transmitem felicidade, tristeza, raiva, medo, surpresa, desgosto, alegria, fúria, aflição, angústia e interesse são universalmente reconhecidas (Ekman, 2003, 1-37), assim como o mal-estar – seja no rosto de um bebê, uma criança, um adolescente, um adulto ou um idoso. Da mesma forma, sabemos distinguir as expressões que nos permitem saber se está tudo bem.

Embora nosso rosto possa ser muito honesto para demonstrar nosso estado de espírito, nem sempre representa necessariamente nossos verdadeiros sentimentos. Isso ocorre porque, em alguma medida, podemos controlar nossas expressões faciais e, assim, vestir uma máscara social. Desde a tenra idade, nossos pais nos ensinam a não fazer cara feia quando não gostamos de uma comida, ou somos obrigados a fingir um sorriso ao cumprimentar alguém de quem não gostamos. Em essência, somos ensinados a mentir usando o rosto, e, portanto, nos especializamos em usá-lo para ocultar o que estamos de fato sentindo, embora às vezes sejamos desmascarados.

Quando mentimos através do rosto, costumamos dizer que estamos representando. Obviamente, atores famosos conseguem reproduzir quaisquer tipos de semblante para representar sentimentos sob demanda. Infelizmente, muitas pessoas, especialmente vigaristas e outros predadores sociais mais perigosos, conseguem fazer a mesma coisa. Vestem uma máscara quando mentem, são coniventes ou tentam influenciar a percepção dos outros por meio de sorrisos fingidos, lágrimas falsas ou olhares dissimulados.

Precisamos ficar atentos ao fato de que as expressões faciais podem ser simuladas. Assim, a melhor evidência do verdadeiro sentimento é obtida a partir de um grupo de comportamentos, incluindo sinais faciais e corporais, que se atestam ou se complementam. Avaliando os comportamentos faciais no contexto e comparando-os com outros comportamentos não verbais, podemos usá-los para ajudar a revelar o que o cérebro está processando, sentindo e/ou planejando. Uma vez que o cérebro tende a usar as partes acima dos ombros como um meio único de expressão e comunicação, vamos nos referir ao rosto e ao pescoço, que o sustenta, como um único elemento: nosso rosto público.

## DEMONSTRAÇÕES EMOCIONAIS NEGATIVAS E POSITIVAS DO ROSTO

As emoções negativas – descontentamento, repugnância, antipatia, medo e raiva, por exemplo – nos deixam tensos. Essa tensão se manifesta de várias maneiras no corpo. Nosso rosto pode mostrar inúmeros sinais reveladores de tensão simultaneamente: enrijecimento da mandíbula, abertura das asas do nariz (dilatação das narinas), olhos semicerrados, tremores da boca ou oclusão labial (em que os lábios parecem desaparecer). Em um exame mais detalhado, é possível notar que o foco dos olhos é fixo, o pescoço é rígido e a cabeça não se inclina. Um indivíduo talvez não *diga* nada sobre estar tenso, mas, se essas manifestações estão presentes, não há dúvida de que ele está perturbado e que seu cérebro está processando algum problema emocional negativo. Esses sinais emocionais negativos são demonstrados de maneira semelhante em todo o mundo, e é importante procurá-los.

**Figura 59**

Olhos semicerrados, testa franzida e contorções faciais são indicativos de angústia ou desconforto.

Quando alguém está aborrecido, alguns desses comportamentos não verbais ou todos eles podem estar em evidência, e se manifestar de forma leve e fugaz ou aguda e pronunciada, com duração de minutos ou mais. Pense em Clint Eastwood nos antigos filmes de faroeste, olhando de soslaio para seus oponentes antes de um duelo. Aquele olhar dizia tudo. É claro que os atores são treinados para tornar suas expressões faciais particularmente fáceis de reconhecer. Mas, no mundo real, às vezes é mais difícil identificar esses sinais não verbais, porque são sutis, intencionalmente disfarçados ou simplesmente ignorados (ver Figura 59).

Considere, por exemplo, o *retesamento da mandíbula* como um indicativo de tensão. Depois de uma reunião de negócios, um executivo pode perguntar a um colega "Você viu como o Bill ficou com a mandíbula retesada quando fiz a proposta?", apenas para ouvir o sócio responder "Não, não vi" (ver Quadro 45). Não reparamos nos sinais faciais porque fomos ensinados a não olhar e/ou porque nos concentramos mais no *que* está sendo dito do que em *como* está sendo dito.

Lembre-se de que as pessoas costumam esconder suas emoções, então, se não somos observadores meticulosos, temos dificuldade para detectá-las. Além disso, sinais faciais podem ser tão fugazes – microgestos – que essa dificuldade até aumenta. Em uma conversa casual, esses comportamentos sutis podem não ter muita significância, mas, em uma interação interpessoal importante (entre amantes, pais e filhos, colegas de trabalho ou em uma entrevista de emprego), essas demonstrações aparentemente insignificantes de tensão podem refletir um conflito emocional profundo. Como nosso cérebro consciente pode tentar dissimular nossas emoções límbicas, é fundamental detectar quaisquer sinais que venham à tona, pois podem produzir uma imagem mais precisa dos pensamentos e intenções profundamente arraigados de uma pessoa.

### QUADRO 45: MEUS LÁBIOS DIZEM EU TE AMO, MAS MEU OLHAR DIZ O CONTRÁRIO

Fico impressionado com a quantidade de vezes em que palavras positivas fluem da boca das pessoas enquanto seu rosto emite sinais não verbais negativos que claramente contradizem o que está sendo afirmado. Certa vez, fui a uma festa em que um dos convidados comentou que estava muito satisfeito por seus filhos terem bons empregos. Ele disse isso com um sorriso pouco generoso e a mandíbula retesada, enquanto as pessoas ao redor o parabenizavam. Mais tarde, sua esposa me disse em particular que o marido estava, na verdade, extremamente chateado com o fato de os filhos mal conseguirem se sustentar em seus empregos insignificantes que não levavam a lugar nenhum. As palavras dele informaram uma coisa, mas o rosto disse outra.

Embora muitas expressões faciais joviais sejam fácil e universalmente reconhecidas, esses sinais não verbais também podem ser suprimidos ou ocultados por várias razões. Por exemplo, certamente não queremos mostrar euforia quando temos uma mão poderosa em um jogo de pôquer, nem que nossos colegas saibam que recebemos um bônus financeiro maior que o deles. Aprendemos a tentar esconder nossa felicidade e nosso entusiasmo em circunstâncias em que julgamos imprudente revelar nossa boa sorte. Entretanto, como acontece com os sinais corporais negativos, podemos detectar os comportamentos não verbais positivos sutis ou contidos por meio de observação e avaliação cuidadosas de outros comportamentos sutis e que se validam entre si. Por exemplo, nosso rosto pode revelar uma ponta de entusiasmo que, por si só, talvez não seja suficiente para convencer um observador perspicaz de que estamos de fato felizes. No entanto, nossos pés podem fornecer evidências validadoras adicionais de entusiasmo, ajudando a confirmar que a emoção positiva é genuína (ver Quadro 46).

Sentimentos genuínos e desenfreados de felicidade refletem-se no rosto e no pescoço. As emoções positivas são reveladas pelo relaxamento das linhas enrugadas na testa e dos músculos ao redor da boca, a exibição dos lábios completos (em vez de cerrados ou rígidos) e a abertura da área dos olhos à medida que os músculos em volta distensionam. Quando estamos à vontade, os músculos faciais relaxam e a cabeça se inclina para o lado, expondo nossa área mais vulnerável, o pescoço (ver Figura 60). É uma demonstração de conforto intenso – geralmente vista durante encontros românticos – que é quase impossível de imitar quando estamos incomodados, tensos, desconfiados ou nos sentindo ameaçados (ver Quadro 47).

---

### QUADRO 46: USANDO OS PÉS PARA VALIDAR SUAS IMPRESSÕES

---

Um tempo atrás, eu esperava um voo partindo de Baltimore quando o homem ao meu lado no balcão de passagens recebeu a boa notícia de que tinha ganhado um upgrade para a primeira classe. Quando se sentou, ele tentou refrear um sorriso, pois comemorar seria considerado rude por outros passageiros que esperavam receber a mesma regalia. Com base apenas na expressão facial, declarar que ele estava feliz seria pura especulação. Mas então eu o ouvi telefonar à esposa para lhe contar a boa notícia e, embora ele falasse baixinho para que ninguém ouvisse a conversa, seus pés estavam agitados como os de uma criança esperando para abrir os presentes de aniversário. Seus pés felizes forneceram evidências que validaram seu estado de alegria. Lembre-se de procurar vários comportamentos para solidificar suas observações.

## INTERPRETANDO COMPORTAMENTOS NÃO VERBAIS DOS OLHOS

Nossos olhos são conhecidos como janelas da alma, por isso parece apropriado examinar esses dois portais em busca de mensagens não verbais das emoções ou dos pensamentos. Apesar de muito se falar sobre "olhos que mentem", nossos olhos expressam, sim, muitas informações úteis. Termômetros precisos dos nossos sentimentos, temos muito pouco controle sobre eles. Ao contrário de outras áreas do rosto que são muito menos reflexivas nos movimentos – ou seja, menos controladas pelo cérebro límbico –, a evolução modificou os músculos dentro e ao redor dos olhos para protegê-los de riscos. Por exemplo, os músculos dentro do globo ocular protegem os receptores delicados contra luz excessiva contraindo a pupila, e os músculos ao redor dos olhos fazem as pálpebras se fecharem imediatamente se um objeto perigoso se aproxima. Essas respostas automáticas ajudam a tornar os olhos uma parte muito honesta do nosso rosto, então vamos examinar alguns comportamentos específicos que podem ajudar a entender o que as pessoas estão pensando ou como pretendem agir.

## QUADRO 47: O QUE VOCÊ NÃO VERÁ EM UM ELEVADOR

Tente inclinar a cabeça em um elevador cheio de estranhos e deixá-la assim durante todo o percurso. Para a maioria das pessoas é extremamente difícil fazer isso, porque tendemos a inclinar a cabeça apenas em momentos em que estamos realmente à vontade – e ficar em um elevador cercado por estranhos certamente *não é* um desses momentos. Tente inclinar a cabeça enquanto olha diretamente para alguém no elevador. Você achará isso ainda mais difícil, se não impossível.

**Figura 60**

A inclinação da cabeça diz de uma maneira poderosa: "Estou à vontade, receptivo, amigável." É muito difícil fazer isso perto de quem não gostamos ou não conhecemos.

### Constrição pupilar e olhos semicerrados como forma de bloqueio dos olhos

Pesquisas mostram que, depois de uma resposta de surpresa, se gostamos do que vemos, nossas pupilas se dilatam; se não gostamos, elas se contraem (ver Figura 61) (Hess, 1975a; Hess, 1975b). Não temos controle consciente sobre nossas pupilas, e elas respondem a estímulos tanto externos (por exemplo, mudanças na gradação da luz) quanto internos (pensamentos) em fração de segundo. Uma vez que as pupilas são bem pequenas, principalmente em olhos escuros, e como as mudanças no tamanho delas ocorrem muito rápido, é difícil reparar em suas reações. Embora esse comportamento dos olhos seja muito útil, as pessoas geralmente não prestam atenção nele, o ignoram ou, quando o veem, subestimam sua utilidade para avaliar os gostos e desgostos de uma pessoa.

Quando somos estimulados, surpreendidos ou confrontados de repente, nossos olhos se abrem – não apenas se arregalam, como as pupilas também se dilatam rapidamente para que entre a maior quantidade de luz possível, enviando assim o máximo de informações visuais para o cérebro. Obviamente, essa resposta de sobressalto funcionou bem por milênios. Porém, se depois que temos um momento para processar as informações nós concluímos que são negativas (é uma surpresa desagradável ou uma ameaça real), em uma fração de segundo as pupilas se contraem (Ekman, 2003, 151) (ver Quadro 48). Contraindo as pupilas, tudo à nossa frente torna-se precisamente focado, e então conseguimos enxergar com clareza e precisão para nos defendermos ou escaparmos com sucesso (Nolte, 1999, 431-432). É muito parecido com o funcionamento (abertura) de uma câmera fotográfica: quanto menor a abertura, maior a profundidade do campo e mais nítido o foco em tudo o que está perto e longe. Aliás, se algum dia você precisar numa emergência de um par de óculos de leitura e nenhum estiver disponível, faça um pequeno furo em uma folha de papel e posicione-o na altura dos olhos; a pequena abertura dará foco ao que você está lendo. Se a constrição máxima das pupilas não for suficiente, então é só semicerrar os olhos para reduzir a abertura ao mínimo possível e, ao mesmo tempo, proteger os olhos (ver Figura 62).

**Figura 61**

Neste diagrama, podemos ver a constrição e a dilatação das pupilas. Desde o nascimento encontramos conforto em ver pupilas dilatadas, especialmente nas pessoas com as quais estamos emocionalmente conectados.

## QUADRO 48: SE HÁ CONTRAÇÃO, HÁ CONSPIRAÇÃO

Em 1989, em um trabalho para o FBI em um caso que envolvia a segurança nacional, interrogamos repetidamente um espião que, embora cooperativo, relutava em delatar seus comparsas na espionagem. Tentativas de apelar ao seu senso de patriotismo e à sua preocupação com os milhões de pessoas que ele estava colocando em risco não levaram a lugar nenhum. As coisas chegaram a um beco sem saída. Era essencial que os colaboradores desse homem fossem identificados, pois eles continuavam soltos e representavam uma séria ameaça ao país. Sem alternativas, Marc Reeser, um amigo meu e brilhante analista de inteligência do FBI, sugeriu o uso de sinais não verbais para tentarmos coletar as informações necessárias.

Apresentamos a esse espião 32 fotografias de 7x12 centímetros preparadas pelo Sr. Reeser, cada uma mostrando alguém com quem o criminoso havia trabalhado e que potencialmente poderia tê-lo ajudado no caso em questão. Ao analisar cada foto, pedimos que o homem contasse, em termos gerais, o que ele sabia sobre cada indivíduo. Não estávamos interessados nas respostas do homem especificamente, uma vez que até as palavras mais objetivas podem ser desonestas; em vez disso, ficamos observando seu rosto. Quando ele viu duas pessoas em particular, seus olhos se arregalaram em reconhecimento, então suas pupilas se contraíram rapidamente e ele semicerrou um pouco os olhos. Inconscientemente, ele claramente não gostou de ver essas pessoas e, de alguma forma, se sentiu em perigo. Talvez esses indivíduos o tivessem ameaçado para não revelar seus nomes. As pupilas contraídas e os olhos ligeiramente semicerrados foram os únicos sinais que tivemos sobre a identidade dos outros conspiradores. O criminoso não estava ciente dos próprios sinais não verbais, e não comentamos sobre isso. No entanto, se não tivéssemos procurado esse comportamento dos olhos, nunca teríamos identificado esses dois indivíduos. Os dois cúmplices foram enfim localizados e interrogados, e acabaram confessando o envolvimento no crime. Até hoje, o criminoso que foi interrogado não sabe como conseguimos identificar seus parceiros culpados.

---

Certa vez, enquanto eu caminhava com minha filha, passamos por uma menina que ela reconheceu. Minha filha semicerrou os olhos enquanto dava um leve aceno para a garota. Suspeitei que algo negativo tivesse acontecido entre elas, assim perguntei à minha filha de onde ela conhecia a garota. Ela respondeu que era uma colega de escola com quem havia trocado algumas palavras. O aceno tímido foi feito por convenção social, mas o olhar semicerrado foi uma demonstração honesta e reveladora de emoções negativas e antipatia (aos 7 anos de idade). Minha filha não sabia que os olhos semicerrados haviam revelado seus verdadeiros sentimentos em relação à garota, mas as informações foram claras como um farol para mim (ver Figura 63).

**Figura 62**

Semicerramos os olhos para bloquear a luz ou coisas indesejáveis, quando estamos com raiva ou mesmo quando ouvimos vozes, sons ou músicas de que não gostamos.

**Figura 63**

O tempo de duração dessa expressão pode ser mínimo – 1/8 de um segundo –, mas reflete em tempo real uma emoção ou um pensamento negativos.

O mesmo fenômeno acontece no mundo dos negócios. Quando clientes estão lendo um contrato e de repente nota-se que seus olhos passaram a ficar semicerrados, é provável que algo no texto não esteja claro, e os olhos registram imediatamente o desconforto ou a dúvida. É bem possível que esses clientes desconheçam totalmente que estão transmitindo essa mensagem muito clara de discordância ou aversão.

Além de semicerrar os olhos quando não estão confortáveis com algo, algumas pessoas franzem as sobrancelhas quando deparam com algo perturbador em seu ambiente. Sobrancelhas arqueadas (um comportamento que desafia a gravidade) indicam elevada autoconfiança e sentimentos positivos, enquanto sobrancelhas franzidas geralmente são um sinal de baixa autoconfiança e de sentimentos negativos, um comportamento que indica fragilidade e insegurança em uma pessoa (ver Quadro 49).

---

### QUADRO 49: **SOBRANCELHAS FRANZIDAS: ATÉ QUE PONTO?**

Um franzir de sobrancelhas pode ter vários significados distintos. Para diferenciá-los, é necessário avaliar a intensidade do movimento e o contexto em que ocorre. Por exemplo, às vezes franzimos as sobrancelhas e estreitamos os olhos quando estamos sendo agressivos ou confrontadores. Da mesma forma, replicamos essa reação diante de perigos ou ameaças reais ou presumidos, e também quando estamos aborrecidos ou sentimos desgosto ou raiva. Por outro lado, sobrancelhas muito franzidas, como as de uma criança quando está contrariada, são um sinal universal de fragilidade e insegurança. É um comportamento de subserviência ou adulação – consistente com reverência ou intimidação – e pode ser aproveitado por predadores sociais, como psicopatas. Em alguns estudos, prisioneiros relataram que, quando novos presidiários chegam à prisão, eles procuram sobrancelhas franzidas nos recém-chegados para identificar quais deles são frágeis e inseguros. Nas suas interações sociais e profissionais, você pode observar esse comportamento para detectar força ou fraqueza nas outras pessoas.

## Bloqueio dos olhos, ou como o cérebro se poupa

Os olhos humanos, mais incríveis do que qualquer câmera, evoluíram como o principal meio para recebimento de informações. Muitas vezes tentamos censurar os dados recebidos através de um mecanismo de sobrevivência límbico conhecido como *bloqueio dos olhos*, que evoluiu para proteger o cérebro de imagens indesejáveis. Qualquer diminuição na abertura dos olhos, seja por meio de olhos semicerrados ou de constrição das pupilas, é uma forma de bloqueio inconsciente. E todos os comportamentos de bloqueio são indicativos de preocupação, aversão, discordância ou percepção de uma potencial ameaça.

As muitas formas de bloqueio dos olhos são uma parte muito comum e natural do nosso repertório não verbal, e a maioria das pessoas ignora o significado desses comportamentos ou nem sequer nota que os mesmos foram executados (ver Figuras 64-67). Por exemplo, pense em uma ocasião em que alguém lhe deu más notícias. Talvez você não tenha notado, mas é provável que ao ouvir a informação suas pálpebras tenham se mantido fechadas por um curto espaço de tempo. Esse tipo de comportamento é muito antigo e está inscrito em nosso cérebro, e ainda no útero os bebês bloqueiam os olhos ao ouvir sons altos. Mais surpreendente ainda é o fato de que crianças que nascem cegas também fecham os olhos quando ouvem notícias ruins (Knapp & Hall, 2002, 42-52). Ao longo de nossa vida, utilizamos esse comportamento de bloqueio dos olhos de origem límbica quando ouvimos algo terrível, apesar de não obstruirmos nossa audição nem os pensamentos que se seguem. Talvez esse comportamento sirva simplesmente para dar ao cérebro uma pausa temporária ou para comunicar nossos sentimentos mais profundos. Independentemente da razão, o cérebro ainda nos obriga a executar esse comportamento.

O bloqueio dos olhos assume muitas formas e pode ser observado em qualquer evento negativo, seja quando se recebem más notícias ou quando uma tragédia está prestes a acontecer. As pessoas podem cobrir completamente os dois olhos com uma mão, colocar uma mão aberta sobre cada olho ou bloquear todo o rosto com um objeto, como um jornal ou um livro. Até mesmo informações internas na forma de um pensamento podem disparar essa resposta. Uma pessoa que de repente lembra que esqueceu

**Figura 64**

Bloquear os olhos com as mãos é uma maneira eficaz de dizer: "Não gostei do que acabei de ouvir, ver ou aprender."

**Figura 65**

Quando dá um breve toque nos olhos durante uma conversa, a pessoa pode estar tendo uma percepção negativa sobre o que está sendo discutido.

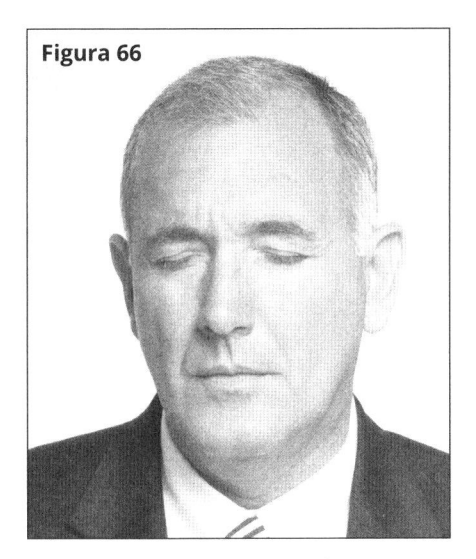

**Figura 66**

Uma lenta abertura – ou um lento fechamento – de pálpebras ao ouvir informações é indicativo de emoções negativas ou desagrado.

**Figura 67**

Quando as pálpebras se comprimem muito, como nesta foto, a pessoa está tentando bloquear totalmente algum evento ou notícia negativos.

algo importante pode fechar os olhos por um instante e respirar fundo ao refletir sobre seu descuido.

Quando interpretados no contexto, os comportamentos de bloqueio dos olhos podem ser indicadores poderosos dos pensamentos e sentimentos de uma pessoa. Esses sinais de proteção ocorrem em tempo real assim que algo negativo é ouvido. Durante conversas, esse é um dos melhores sinais para saber se algo falado soou mal para a pessoa que ouviu as informações.

Sempre uso o bloqueio dos olhos como um indício no meu trabalho no FBI. O assassino do picador de gelo e o incêndio do hotel em Porto Rico, discutidos antes aqui no livro, são apenas duas das muitas e muitas vezes que atestei a importância desse comportamento. Continuo a procurá-lo para avaliar os sentimentos e pensamentos dos outros.

Os comportamentos de bloqueio dos olhos geralmente estão associados a ver ou ouvir algo negativo que nos deixa desconfortáveis, mas também podem ser um indicativo de baixa autoconfiança. Como acontece com a maioria dos outros sinais, a resposta de bloqueio dos olhos é mais confiável e valiosa quando ocorre logo depois de um evento significativo. Se acontece assim que uma pessoa recebe uma informação específica, ou no momento em que ela recebe algum tipo de oferta, isso deve informar a você que algo está errado e que a pessoa está preocupada. Nesse ponto, convém repensar como você deseja proceder se o objetivo é aumentar suas chances de sucesso interpessoal com essa pessoa.

## Dilatação das pupilas, arqueamento das sobrancelhas e olhos arregalados

Existem muitos comportamentos dos olhos que demonstram sentimentos positivos. Quando somos muito novos, nossos olhos registram conforto quando vemos nossa mãe. Um bebê acompanha o movimento do rosto da mãe 72 horas após seu nascimento, e os olhos dele vão se arregalar quando ela entrar onde quer que ele esteja, demonstrando interesse e satisfação. Os olhos da mãe amorosa vão se abrir mais, de uma forma relaxada, e o bebê se sentirá seguro ao olhar para eles. Olhos arregalados são um sinal positivo, indicam que alguém está vendo algo que passa uma boa impressão.

A dilatação das pupilas indica satisfação e emoções positivas. O cérebro está basicamente dizendo: "Gosto do que estou vendo, quero ver melhor!" Quando as pessoas estão de fato contentes com o que veem, não apenas as pupilas se dilatam, mas também as sobrancelhas se arqueiam, ampliando o campo de visão e fazendo os olhos parecerem maiores (ver Figuras 68-70) (Knapp & Hall, 2002, 62-64). Além disso, algumas pessoas abrem os olhos dramaticamente, o máximo possível, exibindo os tão conhecidos *olhos arregalados*, normalmente associados a eventos positivos ou surpresa (ver Quadro 50). É também um tipo de comportamento que desafia a gravidade e costuma ser associado a emoções positivas.

### Arregalada rápida de olhos

Outro comportamento dos olhos que ocorre durante um acontecimento emocional positivo é a *arregalada rápida de olhos*. Essa expressão não apenas é universalmente reconhecida como indicativa de uma surpresa agradável (pense em alguém que ganhou uma festa surpresa), mas também é usada para enfatizar algum ponto e demonstrar intensidade. É muito comum ver pessoas dizendo "Uau!" enquanto levantam as sobrancelhas e abrem os olhos. É uma demonstração positiva muito genuína. Quando alguém enfatiza um ponto de vista ou conta uma história todo empolgado, as sobrancelhas se elevam. Isso reflete o verdadeiro estado de espírito do indivíduo e também abre caminho para uma melhor clareza visual.

**Figura 68**

Quando estamos satisfeitos, nossos olhos relaxam e mostram pouca tensão.

**Figura 69**

Aqui as sobrancelhas estão ligeiramente arqueadas, desafiando a gravidade, um sinal claro de sentimentos positivos.

**Figura 70**

Arregalamos os olhos quando estamos animados por ver alguém ou repletos de emoções positivas que simplesmente não conseguimos conter.

## QUADRO 50: QUANDO A LUZ SE APAGA

Quando vemos alguém de quem gostamos ou nos surpreendemos ao encontrar uma pessoa que não víamos havia algum tempo, tendemos a expandir os olhos para deixá-los o mais abertos possível, e as pupilas se dilatam ao mesmo tempo. Em um ambiente de trabalho, você pode presumir que seu chefe realmente gosta de você ou que você fez algo muito bem se ele abrir bastante os olhos ao falar com você.

Use esse comportamento afirmativo para descobrir se você está no caminho certo, seja em um encontro romântico, ao fazer negócios ou ao tentar fazer amizades. Por exemplo, visualize os olhos arregalados e sonhadores de uma jovem apaixonada enquanto ela olha com adoração para o namorado. Resumindo, observe olhos – quanto mais abertos eles estiverem, melhores as coisas estarão! Por outro lado, quando perceber que a abertura dos olhos começou a diminuir, por meio de olhos semicerrados, sobrancelhas caídas ou pupilas contraídas, convém repensar e mudar suas táticas comportamentais.

Cabe aqui uma advertência. A dilatação e a constrição das pupilas podem ser causadas por fatores que não têm a ver com emoções ou eventos, como variação na iluminação, algumas doenças e certos medicamentos. Tenha cuidado ao considerar esses fatores, ou poderá chegar a falsas conclusões.

---

O aspecto mais útil da elevação das sobrancelhas talvez seja observar quando alguém para de fazer isso ao contar uma história. Frequentemente, quando não estamos emocionalmente conectados a algo que está sendo dito, nossos olhos não esboçam nenhuma reação. Essa falta de conexão pode simplesmente refletir baixo interesse ou indicar que o que está sendo dito não é verdade. É difícil distinguir essas causas. Essencialmente, tudo o que você pode fazer para definir se algo mudou na situação é procurar uma diminuição na elevação das sobrancelhas do seu interlocutor ou o súbito desaparecimento desse comportamento. É notável quanto muda a ênfase facial (as sobrancelhas "lampejam") das pessoas conforme elas vão ficando cada vez menos comprometidas com o que estão dizendo ou fazendo.

## Comportamento dos olhos fixos

É universal que quando olhamos diretamente para os outros é porque gostamos deles, estamos curiosos sobre eles ou queremos ameaçá-los. Amantes passam muito tempo fitando um ao outro, assim como mãe e filho, mas também os predadores que usam o olhar fixo para hipnotizar ou intimidar (pense no olhar de Ted Bundy e Charles Manson). Em outras palavras, o cérebro usa um único comportamento dos olhos – um intenso olhar fixo – para comunicar amor, interesse ou ódio. Portanto, devemos contar com outras demonstrações faciais que acompanhem o *comportamento dos olhos fixos* para determinar se a pessoa está gostando do que vê (um sorriso relaxado) ou se está sentindo aversão (mandíbula retesada, lábios comprimidos).

Por outro lado, quando desviamos o olhar durante uma conversa, tendemos a desenvolver o pensamento com mais clareza, sem a distração do olhar de nosso interlocutor. Esse comportamento é frequentemente confundido com grosseria ou rejeição pessoal, ou um sinal de decepção ou desinteresse, mas não é. Na verdade, é uma *demonstração de conforto* (Vrij, 2003, 88-89). Enquanto conversamos com amigos, costumamos olhar para longe. Fazemos isso porque nos sentimos à vontade o suficiente, e o cérebro límbico não detecta ameaças por parte do interlocutor. Não presuma que alguém esteja desinteressado, descontente ou sendo dissimulado apenas porque desviou o olhar. A clareza de pensamento geralmente melhora quando desviamos o olhar, razão pela qual fazemos isso.

Existem muitas outras razões para a incidência desse comportamento. Um olhar para baixo pode demonstrar que estamos processando uma emoção ou um sentimento, conduzindo um diálogo interno ou talvez demonstrando submissão. Em muitas culturas, espera-se um olhar fixo para baixo ou outra forma de *aversão aos olhos* diante de autoridades ou na presença de um indivíduo de status elevado. Muitas crianças são ensinadas a olhar humildemente para baixo quando estão levando uma bronca de pais ou adultos (Johnson, 2007, 277-290). Em situações embaraçosas, os espectadores podem desviar os olhos por cortesia. Nunca suponha que um olhar para baixo seja sinal apenas de dissimulação.

Em todas as culturas em que esse tema foi estudado, a ciência confirma que pessoas dominantes têm mais liberdade para usar o comportamento dos olhos fixos. Em essência, esses indivíduos têm o direito de olhar para onde quiserem. Para os subordinados, porém, o onde e o quando olhar são mais restritos. A humildade dita que na presença de autoridades, como em igrejas, devemos fazer um movimento de reverência com a cabeça. Como regra geral, pessoas dominantes tendem a ignorar visualmente os subordinados, enquanto os subordinados tendem a olhar para os indivíduos dominantes à distância. Em outras palavras, indivíduos com status elevado costumam ser indiferentes, enquanto as pessoas com menos poder aquisitivo precisam ficar atentas ao próprio olhar. O rei é livre para olhar para quem quiser, mas todos os súditos reverenciam o rei, mesmo quando não querem fazer isso.

Muitos empregadores me disseram que não gostam quando, durante uma entrevista, o olhar dos candidatos vagueia por toda a sala "como se fossem donos do lugar". Como esses olhos em movimento fazem parecer que uma pessoa está desinteressada ou se sentindo superior, isso sempre causa má impressão. Mesmo se você estiver em dúvida sobre querer ou não trabalhar lá, é provável que nunca consiga a vaga se seus olhos não se concentrarem na pessoa que está falando com você durante uma entrevista de emprego.

### Comportamento de piscar/tremer os olhos

Damos mais piscadas de olhos quando estamos agitados, perturbados, nervosos ou preocupados, mas voltamos ao normal quando relaxamos. Uma série rápida de piscadas pode refletir uma luta interna. Por exemplo, se alguém diz algo de que não gostamos, as pálpebras podem começar a tremer. Isso também acontece quando não estamos nos expressando bem em uma conversa (ver Quadro 51). Esse tremor é um grande indicativo de esforço em relação ao nosso desempenho, a envio ou recebimento de informações. Talvez mais do que qualquer outro ator, o britânico Hugh Grant usa o tremor das pálpebras para comunicar que está perplexo, confuso, lutando internamente ou com problemas.

---

### QUADRO 51: **FOCO NO TREMOR DAS PÁLPEBRAS**

---

Detectar o tremor das pálpebras pode ajudá-lo a interpretar as pessoas e a ajustar o próprio comportamento de acordo. Por exemplo, em um evento social ou uma reunião de negócios, a pessoa socialmente competente vai procurar esse comportamento para avaliar o bem-estar das pessoas presentes. Se alguém estiver com as pálpebras tremendo, pode-se deduzir que algo o está incomodando. O significado desse comportamento não verbal é muito preciso e, em algumas pessoas, o tremor começará exatamente no momento em que o problema surgir. Por exemplo, em conversas, o início dessa vibração indica que o tema se tornou controverso ou inaceitável e que provavelmente é recomendável mudar o rumo da conversa. O aparecimento repentino desse sinal não verbal é importante e não deve ser ignorado, se você quiser que as pessoas se sintam à vontade. Como a quantidade de piscadas dos olhos ou o tremor das pálpebras variam de uma pessoa para outra – principalmente se estão se adaptando a novas lentes de contato –, você deve procurar mudanças no padrão das vibrações, como ausência ou aumento na intensidade, para ter uma ideia dos pensamentos e sentimentos de alguém.

Estudantes de comunicação não verbal frequentemente observam como o presidente Richard Nixon piscou muito mais vezes quando ele disse a célebre frase "Eu não sou desonesto". O fato é que a frequência de piscadas provavelmente vai aumentar sob estresse, esteja a pessoa mentindo ou não. Examinei a taxa de piscadas do presidente Bill Clinton durante seu depoimento no caso Monica Lewinsky, e houve um aumento de cinco vezes como resultado do estresse do momento. Embora isso seja tentador, eu relutaria muito em rotular alguém como mentiroso apenas porque a taxa de piscadas aumenta, pois qualquer tipo de estresse, incluindo responder a perguntas em público, pode aumentar a velocidade das piscadas.

### Olhar desconfiado

O *olhar desconfiado* é um comportamento realizado com a cabeça e os olhos (ver Figura 71). Trata-se de um movimento da cabeça para o lado ou a inclinação da mesma, acompanhados por um olhar fixo lateral ou um breve revirar de olhos. Exibimos o olhar desconfiado quando suspeitamos de alguém ou questionamos a validade do que dizem. Às vezes, esse sinal corporal é muito rápido. Em outras, pode ser quase sarcasticamente exagerado e durar o tempo de um encontro. Embora mais curioso ou cauteloso do que desrespeitoso, é muito fácil detectar esse comportamento não verbal, e sua mensagem é: "Estou prestando atenção, mas não concordo com o que você diz... pelo menos não ainda."

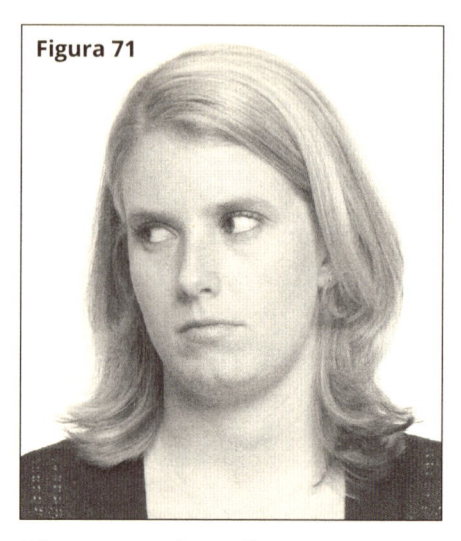

Figura 71

Olhamos com desconfiança para as pessoas quando suspeitamos ou não estamos convencidos, como nesta foto.

# COMO ENTENDER OS COMPORTAMENTOS
# NÃO VERBAIS DA BOCA

Como os olhos, a boca emite vários sinais relativamente confiáveis e dignos de nota que podem ajudá-lo a lidar de maneira mais eficaz com as pessoas. Como os olhos, a boca também pode ser manipulada pelo cérebro pensante para emitir sinais falsos, portanto é preciso ter cuidado na interpretação. Dito isso, eis alguns focos de interesse em relação à linguagem corporal da boca.

### Um sorriso falso e um sorriso real

Sabe-se que os humanos têm tanto um sorriso falso como um real (Ekman, 2003, 205-207). Usamos o sorriso falso quase como uma obrigação social diante daqueles que não são próximos de nós e reservamos o sorriso real para pessoas e eventos com que realmente nos importamos (ver Quadro 52).

Um sorriso real aparece principalmente por causa da ação de dois músculos: o *zigomático maior*, que se estende do canto da boca até a bochecha, e o *orbicular do olho*, que circunda o olho. Ao trabalhar juntos bilateralmente, eles puxam os cantos da boca para cima e enrugam a parte externa dos olhos, fazendo surgirem os pés de galinha de um sorriso honesto e cordial (ver Figura 72).

---

### QUADRO 52: O TERMÔMETRO DO SORRISO

---

Com a prática, não vai levar muito tempo para que você consiga distinguir um sorriso falso de um real. Uma maneira fácil de acelerar o processo de aprendizagem é observar como as pessoas que você conhece trocam cumprimentos dependendo do que acham de quem estão cumprimentando. Por exemplo, se você sabe que um colega de trabalho gosta do indivíduo A e não gosta do indivíduo B e ambos foram convidados para uma festa no escritório que o colega está organizando, observe o rosto dele ao cumprimentar cada um dos indivíduos à porta. Você vai distinguir os dois tipos de sorriso rapidamente!

Quando souber diferenciar os dois tipos de sorriso, você vai conseguir saber o que as pessoas *realmente* acham de você e responder à altura. Você também pode se basear nos diferentes tipos de sorriso para avaliar qual efeito suas ideias ou sugestões estão surtindo sobre o ouvinte. As ideias recebidas com sorrisos genuínos devem ser exploradas ainda mais e adicionadas à lista de coisas a fazer. As sugestões que provocaram um sorriso falso devem ser reavaliadas ou colocadas em segundo plano.

Esse termômetro do sorriso funciona com amigos, cônjuges, colegas de trabalho, filhos e até mesmo seu chefe. Ele fornece informações sobre os sentimentos das pessoas em todos os tipos e fases de uma interação interpessoal.

---

Quando ocorre um sorriso social ou simulado, os cantos dos lábios se estendem por meio de um músculo chamado *risório*. Quando usado dos dois lados dos lábios, ele efetivamente puxa os cantos da boca lateralmente, mas não para cima, como ocorre no sorriso real (ver Figura 73). Curiosamente, bebês de algumas semanas reservam o sorriso zigomático

**Figura 72**

Um sorriso real puxa os cantos da boca em direção aos olhos.

**Figura 73**

Este é um sorriso falso ou "diplomático": os cantos da boca se movem em direção às orelhas e há pouca emoção nos olhos.

para as mães e o risório para todas as outras pessoas. Se você não estiver feliz, não deve conseguir abrir um sorriso usando os músculos zigomático maior e orbicular do olho. É difícil simular sorrisos quando a alegria não é sincera.

## Desaparecimento dos lábios, compressão dos lábios e o U invertido

Se os lábios de algum indivíduo desapareceram de todas as fotografias que você viu recentemente, ele está sob efeito de estresse. Digo isso com segurança, porque, quando se trata de detectar estresse, nenhum indicativo é mais universal do que o desaparecimento dos lábios. Quando estamos estressados, nossos lábios somem quase que inconscientemente.

Quando pressionamos um lábio no outro, é como se nosso cérebro límbico nos dissesse para desligar e não permitir que nada entre no nosso corpo (ver Figura 74), porque nesse momento estamos afundados em problemas sérios. A compressão labial é um grande indicativo de sentimentos negativos e se manifesta de maneira bastante vívida em tempo real (ver Quadro 53). É um sinal claro de que a pessoa está preocupada e que algo está errado. Raramente tem uma conotação positiva. Quando uma pessoa replica esse comportamento, não significa necessariamente que ela está sendo dissimulada. Significa apenas que está estressada no momento.

Na série de fotografias a seguir (ver Figuras 75-78), demonstro como os lábios passam progressivamente de normais (está tudo bem) para desaparecidos ou comprimidos (as coisas não estão bem). Observe especialmente na última fotografia (Figura 78) como os cantos da boca estão virados

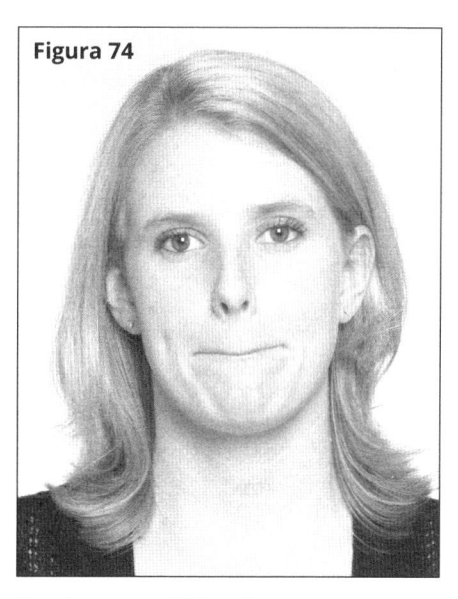

**Figura 74**

Geralmente os lábios desaparecem como resultado de estresse ou ansiedade.

para baixo, formando um U invertido. Esse comportamento é indicativo de *grande aflição* (desconforto), um sinal formidável de que a pessoa está sob intenso estresse.

---

### QUADRO 53: QUANDO OS LÁBIOS NÃO SÃO A ÚNICA COISA A OCULTAR

Procuro a compressão ou o desaparecimento dos lábios durante depoimentos ou quando alguém faz uma afirmação. É um sinal muito confiável que se manifestará no momento exato em que uma pergunta difícil for feita. Quando a pessoa exibe esse comportamento, isso não significa que ela está mentindo. Em vez disso, indica que uma pergunta muito específica funcionou como um estímulo negativo e a incomodou. Por exemplo, se pergunto a alguém "Você está ocultando algo?" e ele comprime os lábios ao tentar responder, é porque *está* omitindo informações. É um indicativo especialmente preciso se for a única vez que ele ocultou ou comprimiu os lábios durante a conversa. É um sinal de que será necessário investigar mais a fundo.

---

Em minhas aulas, peço aos alunos que escondam ou comprimam os lábios e então olhem um para o outro (você pode tentar isso com os amigos). O que eles logo percebem, quando chamo a atenção para tal, é que os lábios ocultos geralmente formam uma linha reta. A maioria das pessoas que tenta isso não consegue forçar os cantos da boca para baixo, formando um U invertido. Isso acontece porque esse comportamento é uma resposta límbica e só ocorre se estamos de fato angustiados ou sofrendo. Lembre-se de que, para algumas pessoas, os lábios em U são um comportamento normal e, como tal, *não são* um indicativo preciso de angústia. Para a grande maioria de nós, porém, são um sinal categórico de pensamentos ou sentimentos negativos.

**Figura 75**

Observe que, quando os lábios estão cheios, geralmente a pessoa está satisfeita.

**Figura 76**

Quando uma pessoa está sob estresse, seus lábios começam a se comprimir e então desaparecer.

**Figura 77**

A compressão labial, que reflete estresse ou ansiedade, pode progredir a ponto de os lábios desaparecem, como nesta foto.

**Figura 78**

Quando os lábios desaparecem e os cantos da boca se voltam para baixo, as emoções e a autoconfiança estão em baixa, enquanto a ansiedade, o estresse e as preocupações estão em alta.

## Lábios em bico

Preste atenção em pessoas que fazem bico quando estão ouvindo alguém falar (ver Figura 79). Esse comportamento geralmente indica que elas não concordam com o que está sendo dito ou que estão considerando argumentos alternativos. Saber disso pode ser muito valioso para ajudá-lo a determinar como apresentar seu ponto de vista, modificar sua oferta ou orientar a conversa. Para determinar se o bico significa discordância ou se a pessoa está considerando um contraponto, você deve monitorar a conversa por um tempo que seja suficiente para coletar sinais adicionais.

**Figura 79**

Fazemos bico ou comprimimos os lábios quando não concordamos com algo ou alguém, ou se estamos pensando em um ponto de vista alternativo.

Lábios em bico costumam ser vistos durante os argumentos finais de um julgamento. Enquanto um dos advogados fala, o outro franze os lábios em desacordo. Juízes também exibem esse comportamento quando não concordam com os advogados em reuniões à parte. Em revisões de contrato, buscar – e encontrar – lábios em bico pode ajudar os advogados a detectar preocupações ou questões da parte oposta. Lábios em bico são vistos durante interrogatórios, especialmente quando se apresentam informações incorretas a um suspeito. Este vai demonstrar desacordo, porque sabe que o investigador está errado.

Em ambientes profissionais, os lábios em bico ocorrem o tempo todo e devem ser considerados um meio eficaz de coletar informações sobre uma situação. Por exemplo, quando um parágrafo é lido em um contrato, aqueles que se opõem a um item ou uma frase replicam esse comportamento no momento exato em que as palavras são pronunciadas. Ou, quando ficam sabendo que alguém vai receber uma promoção, as pessoas fazem bico se o contemplado é um desafeto.

O significado dos lábios em bico é tão preciso que deve receber mais atenção. O gesto aparece em várias situações e circunstâncias e é um indicador muito confiável de que uma pessoa está pensando em uma alternativa ou rejeitando completamente o que está sendo dito.

### O olhar de desprezo

O olhar de desprezo, como o revirar de olhos, é um gesto universal de desdém. É desrespeitoso e reflete falta de carinho ou empatia por parte da pessoa que o exibe. Quando olhamos com desprezo, os *músculos bucinadores* (nas laterais do rosto) se contraem para puxar os cantos dos lábios na direção das orelhas e produzir uma covinha em cada bochecha. É uma expressão muito visível e significativa, mesmo que demonstrada muito rapidamente (ver Figura 80). Um olhar de desprezo pode esclarecer o que acontece na mente de uma pessoa e quais podem ser as consequências (ver Quadro 54).

**Figura 80**

Um breve olhar de desprezo significa desrespeito ou desdém. Diz "Pouco importa quem você é ou o que você pensa".

---

QUADRO 54: **NADA A DESPREZAR**

---

Na Universidade de Washington, o pesquisador John Gottman descobriu durante sessões de terapia de casal que, se um ou os dois parceiros olhassem com desprezo um para o outro, isso seria um sinal significativo e poderoso da iminência de uma separação. Depois que o descaso ou a repulsa entram na psique, em consequência de, por exemplo, um olhar de desprezo, o relacionamento se complica ou até termina. **Observei durante as investigações no FBI que suspeitos** costumam mostrar um olhar de desprezo durante os interrogatórios quando acham que sabem mais que o interrogador ou se acham que o interrogador não sabe tudo que aconteceu. Em qualquer circunstância, um olhar de desprezo é um sinal singular de desrespeito ou desdém por outra pessoa.

## Comportamentos da língua

Existem inúmeros sinais da língua que podem fornecer informações valiosas sobre os pensamentos ou o estado de espírito de uma pessoa. Sob estresse, a boca fica seca e é normal lamber os lábios para umedecê-los. Além disso, em momentos de desconforto, tendemos a passar a língua sobre os lábios para nos acalmar. Podemos colocar a ponta da língua para fora (geralmente para um dos lados) quando estamos muito focados em uma tarefa (pense, por exemplo, no grande jogador de basquete Michael Jordan saltando para enterrar a bola na cesta) ou projetá-la para demonstrar hostilidade ou nojo (as crianças fazem isso o tempo todo).

Figura 81

Lamber os lábios é um comportamento pacificador que pode resultar em maior tranquilidade e relaxamento. Vemos isso em alunos prestes a fazer uma prova.

Quando um indivíduo exibe outros sinais da boca associados a estresse, como morder os lábios, tocar a boca, lamber os lábios ou morder objetos, isso reforça ainda mais a convicção de um observador cuidadoso de que a pessoa é insegura (ver Figura 81). Além disso, se as pessoas tocam e/ou lambem os lábios ao expressar seu posicionamento, principalmente quando se demoram muito na argumentação, esses sinais indicam insegurança.

As pessoas usam o *comportamento de projeção da língua* quando acham que escaparam impunes de uma situação ou são flagradas fazendo algo. Já vi esse comportamento em mercados de pulgas nos Estados Unidos e na Rússia, entre vendedores ambulantes na Lower Manhattan, em mesas de pôquer em Las Vegas, durante interrogatórios no FBI e em reuniões de negócios. Em todos os casos, a pessoa fez o gesto – língua entre os dentes sem tocar os lábios – ao fechar algum tipo de negócio ou como uma afirmação não verbal final (ver Figura 82). Isso, por si só, é um comportamento típico em contextos em que se fecha algum tipo de acordo. Parece apresentar-se inconscientemente ao final das interações sociais e possui uma variedade de significados que devem ser entendidos no contexto, entre eles: fui flagrado, empolgação, consegui escapar impune, fiz uma besteira ou sou esperto.

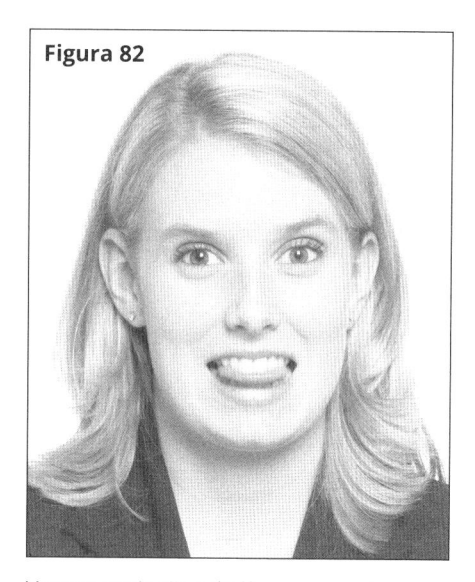

**Figura 82**

Vemos projeções da língua quando as pessoas são flagradas fazendo algo que não deveriam, cometem um erro ou escapam impunes de alguma coisa. Esse comportamento tem duração mínima.

Quando eu revisava algumas anotações para este livro, o atendente na lanchonete da universidade colocou os legumes errados no prato da aluna que estava bem na minha frente. Quando a aluna lhe pediu que corrigisse o erro, o atendente colocou a língua entre os dentes e ergueu os ombros como se dissesse: "Ops, me confundi!"

Em discussões sociais ou profissionais, a projeção da língua costuma ser vista no final do diálogo, quando uma das pessoas deu o assunto por resolvido, com a certeza de que se deu bem, e a outra parte não conseguiu detectar esse sinal ou prosseguir com o assunto. Se perceber um comportamento de projeção da língua, pergunte-se o que acabou de acontecer. Calcule se foi enganado ou se você ou a outra pessoa acabou de cometer um erro. Esse é o momento de avaliar se alguém está passando a perna em você.

# OUTROS COMPORTAMENTOS NÃO VERBAIS DO ROSTO

## Testa franzida

Geralmente, uma pessoa franze a testa (e as sobrancelhas) quando está ansiosa, triste, concentrada, preocupada, confusa ou com raiva (ver Figura 83). Uma testa franzida precisa ser examinada no contexto para se determinar seu real significado. Por exemplo, vi uma funcionária de supermercado fechando a gaveta da caixa registradora e franzindo a testa enquanto contava o dinheiro. Era possível ver a intensidade da expressão e a concentração dela à medida que tentava calcular o total no final do turno. A mesma expressão pode ser observada em alguém que acabou de ser preso e precisa passar na frente de repórteres. A testa franzida costuma se manifestar quando alguém se encontra em uma situação insustentável ou desagradável mas não pode escapar. É por isso que é comum vê-la em fotos usadas pela polícia.

**Figura 83**

Detectar uma testa franzida é uma maneira fácil de avaliar desconforto ou ansiedade. Quando estamos felizes e contentes, dificilmente replicamos esse comportamento.

Aliás, esse comportamento é reproduzido há tanto tempo e é tão comum nos mamíferos que até os cães o reconhecem quando olhamos para eles com o cenho franzido. Os próprios cães exibem uma expressão semelhante quando estão ansiosos, tristes ou concentrados. Outro fato interessante em relação à testa franzida é que, conforme envelhecemos e acumulamos experiências de vida, sulcos cada vez mais profundos vão se formando na testa e então se transformam em rugas. Assim como as marcas faciais permanentes de sorriso podem se desenvolver a partir de comportamentos não verbais positivos durante a vida e significar uma vida feliz, uma pessoa com rugas na testa provavelmente teve uma vida desafiadora que a fez franzir o cenho com frequência.

### Dilatação das narinas

Como discutido antes, a dilatação das narinas é um sinal facial que indica que uma pessoa está estimulada de alguma forma. Dois namorados às vezes são vistos cheirando um ao outro, suas narinas se abrindo sutilmente de excitação e expectativa. Muito provavelmente, os apaixonados exibem esse comportamento inconsciente por absorverem os odores da atração sexual, conhecidos como *feromônios* (Givens, 2005, 191-208). A dilatação das narinas é um poderoso sinal que indica intenção de fazer algo físico, não necessariamente sexual. Pode ser qualquer coisa, desde subir alguns degraus íngremes até deslocar uma estante de livros. Ao se preparar para agir fisicamente, as pessoas se oxigenam, o que faz com que as narinas se dilatem.

Como agente do FBI, se eu encontro uma pessoa na rua olhando para baixo, com os pés em posição de "pugilista" e as narinas se abrindo, suspeito que ela deve estar se preparando para fazer uma de três coisas: discutir, correr ou lutar. A dilatação das narinas é algo que você sempre deve buscar se estiver perto de alguém que tenha motivos para atacar ou fugir de você. É apenas um dos muitos comportamentos suspeitos que devemos ensinar aos nossos filhos para que eles tomem as devidas precauções. Dessa forma, eles vão saber melhor quando as pessoas se tornam perigosas, especialmente na escola ou em parques.

### Roer unhas e sinais relacionados de estresse

Se você vir uma pessoa roendo as unhas enquanto espera para fechar um negócio, é provável que ela não o impressione por transmitir autoconfiança. Roer unhas é um indicativo de estresse, insegurança ou desconforto. Ao ver esse comportamento, mesmo que muito rápido, em uma negociação, é seguro supor que essa pessoa não está segura de si mesma e/ou está negociando a partir de uma posição menos privilegiada. Pessoas em uma entrevista de emprego ou jovens esperando seu parceiro romântico chegar devem evitar roer as unhas, não apenas por parecer desagradável, mas também porque diz em alto e bom som: "Estou inseguro." Roemos as unhas não porque elas precisam ser aparadas, mas porque isso nos acalma.

## Rubor e palidez do rosto

Às vezes, involuntariamente nos ruborizamos ou empalidecemos por causa de estados emocionais profundos. Para demonstrar um comportamento de rubor em minhas aulas, costumo pedir que um aluno fique de frente para o grupo e então chego por trás dele e fico bem perto da sua nuca. Geralmente, essa violação de espaço é suficiente para causar uma reação límbica, fazendo o rosto corar. Em alguns indivíduos, especialmente os de pele clara, a mudança de cor fica muito perceptível. As pessoas também se ruborizam quando são flagradas fazendo algo que sabem ser errado. E há ainda o rubor que se manifesta quando uma pessoa gosta de alguém, mas não quer que ele/ela saiba isso. Adolescentes que nutrem uma paixão secreta por alguém geralmente ficam ruborizados quando essa pessoa se aproxima. É uma resposta límbica real transmitida pelo corpo e relativamente fácil de detectar.

Por outro lado, o empalidecimento pode ocorrer quando temos uma reação límbica conhecida como choque, de duração prolongada. Vi pessoas empalidecerem após sofrerem um acidente de trânsito ou em um interrogatório, quando foram subitamente apresentadas a evidências esmagadoras de sua culpa. O empalidecimento ocorre quando o sistema nervoso involuntário sequestra todos os vasos sanguíneos da superfície da pele e os canaliza para os músculos maiores a fim de preparar o corpo para escapar ou atacar. Conheço pelo menos um caso em que um indivíduo ficou tão surpreso por ser preso que subitamente empalideceu e teve um ataque cardíaco fatal. Embora esses comportamentos sejam apenas superficiais, não devemos ignorá-los, porque são indicativos de alto estresse e se apresentarão de modo diferente de acordo com a natureza e a duração das circunstâncias.

## Sinais de desaprovação por meio de expressões faciais

Os sinais de desaprovação variam de acordo com a parte do mundo em que são exibidos e refletem as normas sociais de uma cultura específica. Na Rússia, pessoas olharam para mim com desprezo porque fiquei assobiando pelo corredor de um museu de arte. Parece que assobiar em ambientes fechados é inaceitável na Rússia. Em Montevidéu, eu estava em um grupo que recebeu olhares semicerrados de reprovação seguidos por caras viradas. Aparentemente, nosso grupo falava alto demais e os locais não apreciaram nossa agitação. Nos Estados Unidos, como o país é muito grande e diversificado, diferentes locais terão diferentes demonstrações de desaprovação; o que você vê no Meio-Oeste é diferente do que vê na Nova Inglaterra ou em Nova York.

A maioria das demonstrações de desaprovação acontece no rosto, e exibi-las é uma das primeiras coisas que aprendemos com nossos pais e irmãos. Aqueles que gostam de nós vão fazer "aquela cara" para informar que estamos fazendo algo errado ou passando dos limites. Meu pai, que é muito rígido, tinha "o olhar" clássico; ele só precisava olhar severamente para mim, e isso bastava. Até meus amigos temiam aquele olhar. O homem nunca nos agrediu verbalmente. Ele apenas nos olhava daquele jeito inconfundível, e isso era tudo.

Na maioria das vezes, somos bastante hábeis em entender os sinais de desaprovação, embora às vezes eles possam ser muito sutis (ver Quadro 55). Reconhecer críticas é o segredo para aprender as regras não escritas de um país ou uma região e para saber como os habitantes locais reagem quando essas regras são violadas. Esses sinais nos ajudam a entender quando estamos sendo rudes. Mas demonstrações injustas e inadequadas de desaprovação ou censura são igualmente grosseiras. Nos Estados Unidos, por exemplo, é comum que as pessoas revirem os olhos. Esse comportamento é um sinal de desrespeito e não deve ser tolerado, especialmente quando exibido por subordinados ou crianças.

---

### QUADRO 55: **UMA ABORDAGEM DE VENDAS DILUÍDA**

Um tempo atrás, fui abordado por uma vendedora de uma grande rede de academias na Flórida central. A jovem estava muito animada para que eu me matriculasse na academia, afirmando que isso só custaria um dólar por dia durante o restante do ano. Enquanto eu ouvia, ela ia ficando ainda mais alvoroçada, pois devia me ver como um potencial cliente. Quando chegou minha vez de falar, perguntei se a academia tinha piscina. Ela respondeu que não, mas que tinha outros ótimos recursos. Comentei então que atualmente eu pagava 22 dólares por mês para frequentar uma academia que tinha piscina olímpica. Enquanto eu falava, ela olhou para os próprios pés fazendo um microgesto de repulsa (o nariz e o lado esquerdo da boca se levantaram) (ver Figura 84). Foi breve e fugaz, e se tivesse durado mais pareceria um rosnado. Esse microgesto foi suficiente para eu entender que ela estava descontente com meu comentário, e, depois de um ou dois segundos, ela deu uma desculpa para se afastar e falar com outra pessoa. Fim da abordagem de vendas.

**Figura 84**

Franzimos o nariz para indicar desprezo ou repulsa. Isso é muito preciso, e às vezes efêmero. Em algumas culturas, é bastante acentuado.

Essa não foi a primeira nem a última vez que observei esse comportamento. Na verdade, sempre vejo um microgesto semelhante em negociações, logo depois que alguma oferta é feita. Na América Latina, por exemplo, se você não aceita alguma comida que oferecem, é muito comum que manifestem repulsa e balancem a cabeça de um lado para outro, sem dizer uma palavra. Curiosamente, o que é visto como rude em um cenário ou país pode ser perfeitamente aceitável em outro. O segredo para uma viagem bem-sucedida é conhecer os costumes locais com antecedência, de modo que você saiba o que fazer e o que esperar.

---

Demonstrações faciais de repulsa ou desaprovação são muito honestas e refletem o que está acontecendo no cérebro. É provável que a expressão de nojo se manifeste principalmente no rosto, porque essa é a parte da nossa anatomia que se adaptou, ao longo de milhares de anos, para rejeitar alimentos estragados ou qualquer outra coisa que possa nos fazer mal. Embora essas demonstrações faciais possam variar de discretas a óbvias – motivadas seja por informações negativas ou desagradáveis, seja por uma comida ruim –, no cérebro o sentimento é o mesmo, independentemente da intensidade da reação. "Não gosto disso, tire isso da minha frente." Por mais sutil que seja a careta ou o olhar de aversão ou desagrado, podemos ter certeza de interpretar esses comportamentos com precisão porque são controlados pelo sistema límbico (ver Quadro 56).

---

QUADRO 56: **ATÉ QUE A REPULSA NOS SEPARE**

Qual é a precisão do gesto de repulsa em revelar nossos pensamentos e intenções? Eis um exemplo pessoal. Quando visitei um amigo e sua noiva, ele falou dos planos de casamento e lua de mel. Ele não percebeu isso, mas eu a vi exibir um microgesto facial de repulsa quando ele pronunciou a palavra *casamento*. Foi algo bem fugaz, e achei estranho, já que ambos deveriam estar entusiasmados com esse tema. Meses depois, meu amigo telefonou para dizer que a noiva havia desistido do casamento. Eu tinha visto, nesse único microgesto, o cérebro dela registrando seus verdadeiros sentimentos sem ambiguidades. A ideia de prosseguir com o relacionamento era repulsiva para ela.

---

## COMPORTAMENTOS FACIAIS QUE DESAFIAM A GRAVIDADE

Costumamos dizer "Mantenha a cabeça erguida" para pessoas que estão em crise ou passando por infortúnios (ver Figuras 85 e 86). Essa simples sabedoria popular reflete com precisão nossa resposta límbica a adversidades. Uma pessoa com o queixo para baixo é percebida como desprovida de autoconfiança e repleta de sentimentos negativos, enquanto uma pessoa **com o queixo para cima emana um estado de espírito positivo.**

**Figura 85**

**Figura 86**

Quando a autoconfiança é baixa ou estamos preocupados, o queixo desce, levando o nariz para baixo.

Quando nos sentimos positivos, o queixo se ergue e o nariz empina, indicando conforto e segurança.

O que é verdade para o queixo também é verdade para o nariz. Empinar o nariz é um gesto que desafia a gravidade, um sinal não verbal de elevada autoconfiança, enquanto o nariz para baixo sinaliza baixa autoconfiança. Quando as pessoas estão estressadas ou incomodadas, o queixo (e o nariz, uma vez que o acompanha) tende a não permanecer no alto. Crispar o queixo é uma forma de manter distância e indica com precisão verdadeiros sentimentos negativos.

Na Europa, em particular, há muito mais incidência desses tipos de comportamento, especialmente manter o nariz empinado quando olham para pessoas de classe inferior ou esnobam alguém. Certa vez eu estava na França e fiquei assistindo a um programa da televisão local. Observei que um político, quando não gostou de uma pergunta que foi feita, simplesmente empinou o nariz e, olhando para o repórter, disse: "Não, essa eu não vou responder." O nariz refletiu seu status elevado e o desprezo pelo repórter. Charles de Gaulle, um indivíduo bastante controverso que acabou se tornando presidente da França, ficou famoso por projetar esse tipo de imagem arrogante.

## A regra dos vários sinais ao mesmo tempo

Às vezes, não falamos o que estamos de fato pensando, mas nosso rosto reflete a verdade. Por exemplo, se alguém fica olhando repetidamente para o relógio ou para a saída mais próxima, isso quer dizer que está atrasado, que tem outro compromisso ou que preferia estar em outro lugar. Esse tipo de olhar é um sinal de intenção.

Outras vezes, dizemos uma coisa, mas sem acreditar naquilo. Isso nos leva a uma regra geral quando se trata de observar expressões faciais para interpretar emoções e/ou palavras. Quando confrontados com vários sinais do rosto ao mesmo tempo (como expressões de felicidade junto com sinais de ansiedade ou comportamentos de prazer vistos ao lado de demonstrações de descontentamento), ou se as mensagens faciais verbais e não verbais não estão em consonância uma com a outra, opte sempre pela emoção negativa como a mais honesta das duas. O sentimento negativo quase sempre será o mais exato e genuíno entre as emoções de uma pessoa. Por exemplo, se alguém disser "Que bom vê-lo!" com a mandíbula retesada, a afirmação é falsa. A tensão no rosto revela a verdadeira emoção que a pessoa está sentindo. Por que optar pela emoção negativa? Porque nossa reação mais imediata a uma situação censurável costuma ser a que indica sentimentos com mais precisão; somente depois de um momento, quando percebemos que estamos sendo observados, é que mascaramos essa resposta inicial com algum comportamento facial mais socialmente aceitável. Portanto, quando confrontado com ambas, opte pela primeira emoção observada, especialmente se for uma emoção negativa.

## OBSERVAÇÕES FINAIS SOBRE O ROSTO

Uma vez que o rosto pode transmitir tantas expressões diferentes e como nos ensinam a dissimular demonstrações faciais desde a infância, qualquer coisa que você observa no rosto deve ser comparada com os sinais não verbais do restante do corpo. Além disso, como os comportamentos faciais são muito complexos, pode ser difícil concluir se eles refletem conforto ou desconforto. Se estiver confuso quanto ao significado de uma expressão facial, você pode reproduzi-la e tentar perceber como ela faz você se sentir. Você descobrirá que esse pequeno truque pode ser muito útil. O rosto revela uma grande quantidade de informações, mas também pode induzir ao erro. Você precisa procurar grupos de comportamentos, avaliar constantemente o contexto em que a expressão facial ocorre e observar se ela está ou não em consonância com os sinais das outras partes do corpo. Somente seguindo todos esses passos é que você vai conseguir validar com segurança sua avaliação das emoções e intenções de uma pessoa.

OITO

# Detectando mentiras
### Prossiga com cuidado!

Ao longo do livro, abordamos muitos exemplos de comportamentos não verbais, os sinais do corpo que podemos utilizar para entender melhor os sentimentos, pensamentos e intenções dos outros. A esta altura, espero que você tenha se convencido de que, com esses sinais não verbais, é possível avaliar com precisão o que todo *corpo* fala, em qualquer cenário. Mas há um tipo de comportamento humano difícil de interpretar: a dissimulação.

Você pode supor que, como experiente agente do FBI que às vezes é chamado de detector de mentiras ambulante, consigo identificar fingimentos com relativa facilidade e mesmo ensinar as pessoas a se tornarem um polígrafo humano em pouco tempo. Nada poderia estar mais longe da verdade! É extremamente difícil detectar dissimulações – muito mais do que fazer uma interpretação precisa dos outros comportamentos que já discutimos até aqui.

É justamente por causa da minha experiência como agente do FBI especializado em análise comportamental – sou uma pessoa que passou toda a carreira tentando detectar mentiras – que reconheço e entendo as dificuldades de avaliar com exatidão o comportamento dissimulado. É também por essa razão que decidi dedicar um capítulo inteiro – e concluir este livro – a avaliações e aplicações *realistas* dos comportamentos não verbais para detectar mentiras. Muitos livros sobre esse tema fazem parecer que isso é fácil, mesmo para amadores. Posso garantir que não é.

Acho que essa é a primeira vez que um agente de segurança e de contrainteligência com experiência considerável nesse campo, e que ainda leciona na área de inteligência, dá um passo à frente para emitir este alerta: a maioria das pessoas – leigos e profissionais – não é muito boa em detectar mentiras. Por que fazer essa afirmação? Porque, infelizmente, ao longo dos anos tenho visto muitos investigadores interpretarem comportamentos não verbais de modo incorreto, fazendo com que pessoas inocentes se sintam culpadas ou desnecessariamente constrangidas. Também vi amadores e profissionais fazerem afirmações ultrajantes, arruinando vidas nesse processo. Muitos foram presos por dar testemunhos falsos só porque um policial interpretou uma resposta ao estresse como uma mentira. Os jornais estão repletos de histórias de horror, incluindo uma do Central Park, em Nova York, em que os policiais confundiram comportamentos não verbais de estresse com dissimulação e pressionaram inocentes a confessar um crime que não tinham cometido (Kassin, 2004, 172-194; Kassin, 2006, 207-227). Espero que os leitores deste livro tenham uma imagem mais realista e honesta do que pode ou não ser concluído por meio da abordagem não verbal para detectar mentiras e, munidos desse conhecimento, adotem uma abordagem mais fundamentada e cautelosa ao decidir se uma pessoa está ou não dizendo a verdade.

## MENTIRA: UM TEMA DIGNO DE ESTUDO

Todos nós temos interesse pela verdade. A sociedade funciona com base no pressuposto de que as pessoas cumprem a própria palavra – de que a verdade prevalece sobre a falsidade. Para a maioria, essa afirmativa é verdadeira. Do contrário, os relacionamentos teriam pouca vida útil, não haveria mais comércio e a confiança entre pais e filhos seria destruída. Todos nós dependemos da honestidade, porque, quando falta verdade, nós sofremos e a sociedade sofre. Estávamos em guerra quando Adolf Hitler mentiu para Neville Chamberlain, e mais de 50 milhões de pessoas pagaram o preço com a própria vida. Quando Richard Nixon mentiu para a nação norte-americana, isso destruiu o respeito que muitos tinham pelo presidente. Quando os executivos da Enron mentiram para os funcionários, milhares de vidas foram arruinadas da noite para o dia. Contamos com o fato de que as instituições governamentais e comerciais são honestas e confiáveis. Precisamos e esperamos que nossos amigos e familiares sejam sinceros. A verdade é essencial para todos os relacionamentos, sejam eles pessoais, profissionais ou cívicos.

Temos sorte, porque a maioria das pessoas é honesta e a maior parte das mentiras que ouvimos diariamente é "social" ou mentira "branca", cujo propósito é nos proteger da verdadeira resposta a perguntas como "Eu fico gorda nessa roupa?". Sem dúvida, quando se trata de assuntos mais sérios, é de nosso interesse avaliar e determinar a verdade do que é dito. Mas conseguir isso não é fácil. Há milhares de anos, as pessoas vêm usando adivinhos e todo tipo de técnica duvidosa – como colocar uma faca quente na língua de uma pessoa – para detectar mentiras. Mesmo hoje, algumas organizações usam amostras de caligrafia, análise de estresse por voz ou polígrafos para identificar mentirosos. Todos esses métodos têm resultados questionáveis. Não existe método, máquina, teste ou pessoa que consiga 100% de acertos para revelar dissimulações. Até o bendito polígrafo só é preciso em 60 a 80% das vezes, dependendo do operador do instrumento (Ford, 1996, 230-232; Cumming, 2007).

## Procurando mentirosos

O fato é que identificar mentiras é tão difícil que inúmeros estudos iniciados na década de 1980 mostram que a maioria de nós – incluindo juízes, advogados, médicos, policiais, agentes do FBI, políticos, professores, mães, pais e cônjuges – só consegue detectar 50% delas (Ford, 1996, 217; Ekman, 1991, 162). É impressionante, mas é verdade. Para grande parte das pessoas, incluindo profissionais, a probabilidade de identificar mentiras corretamente é a mesma de tirar cara ou coroa (Ekman & O'Sullivan, 1991, 913-920). Mesmo os observadores mais talentosos (provavelmente menos de 1% da população) têm pouquíssimas chances de acertar mais de 60% das vezes. Considere os inúmeros corpos de jurados que devem determinar honestidade ou desonestidade, culpa ou inocência, com base no que eles pensam ser comportamentos dissimulados. Infelizmente, os comportamentos mais frequentemente confundidos com indicativos de desonestidade são principalmente manifestações de estresse (Ekman, 1991, 187-188). É por isso que vivo de acordo com o lema que defende que não existe um único comportamento que, por si só, seja indicativo de dissimulação – nenhum (Ekman, 1991, 162-189).

Isso não significa que devemos deixar de estudar dissimulações e observar comportamentos que, no contexto, apontam para elas. Meu conselho é definir uma meta realista: ser capaz de interpretar comportamentos não verbais com clareza e confiabilidade, e deixar o corpo humano falar com você sobre o que ele pensa, sente ou planeja. Esses são objetivos razoáveis que, no final, não apenas vão ajudá-lo a entender os outros de forma mais eficaz (os sinais de dissimulação não são o único comportamento que vale a pena detectar!), mas também fornecerão sinais sobre como a dissimulação é um subproduto das suas observações.

### Por que é tão difícil detectar uma mentira?

Se você está se perguntando por que é tão difícil identificar mentiras, considere o velho ditado "A prática leva à perfeição". Aprendemos a mentir desde tão novos – e mentimos com tanta frequência – que nos tornamos hábeis em parecer convincentes. Para ilustrar essa afirmativa, pense em quantas vezes você ouviu algo como "Fale que não estou em casa", "Finja que está feliz" ou "Não conte ao seu pai o que aconteceu, ou nós dois vamos nos dar muito mal". Como somos animais sociais, nós não só mentimos em benefício próprio, como também mentimos para benefício mútuo (Vrij, 2003, 3-11). Mentir pode ser uma maneira de se livrar de explicações longas, uma tentativa de evitar punições, um atalho para um diploma falso de doutorado ou simplesmente uma maneira de agradar. Até nossos cosméticos e roupas acolchoadas nos ajudam a dissimular. Em essência, para nós humanos, mentir é uma "ferramenta de sobrevivência social" (St-Yves, 2007).

## UMA NOVA ABORDAGEM PARA REVELAR MENTIRAS

No meu último ano no FBI, apresentei minhas pesquisas e descobertas sobre dissimulação, incluindo uma revisão da literatura dos últimos 40 anos. Isso levou o FBI a publicar um artigo intitulado "Um modelo de quatro domínios para detectar mentiras: um paradigma alternativo para interrogatórios" (Navarro, 2003, 19-24). O artigo apresentou um novo modelo para identificar desonestidade com base no conceito dos estímulos límbicos e nas **manifestações físicas de conforto e desconforto**, ou o *domínio do* *conforto/desconforto*. Em resumo, sugeri que, quando dizemos a verdade e não estamos preocupados, tendemos a nos sentir mais à vontade do que quando mentimos ou ficamos tensos com a possibilidade de sermos desmascarados porque estamos com "sentimento de culpa". O modelo também mostra que temos tendência a exibir comportamentos mais enfáticos quando nos sentimos à vontade e estamos sendo honestos, o que não ocorre quando estamos incomodados.

Atualmente, esse modelo é utilizado em todo o mundo. Embora o objetivo fosse treinar agentes de segurança para detectar dissimulações durante investigações criminais, ele é aplicável a qualquer tipo de interação humana – no trabalho, em casa ou em qualquer lugar em que seja importante diferenciar verdade e mentira. Baseado no que aprendeu nos capítulos anteriores, você está perfeitamente apto a entender esse modelo.

## O papel crucial da equação conforto/desconforto para detectar mentiras

Aqueles que mentem ou são culpados e carregam o peso do reconhecimento de suas mentiras e/ou seus crimes têm dificuldade em se sentir à vontade, e é fácil reparar que eles estão manifestando tensão e angústia. Tentar disfarçar culpa ou ser dissimulado coloca uma carga cognitiva muito penosa sobre eles à medida que lutam para inventar respostas a perguntas que em outros contextos seriam simples de responder (DePaulo *et al.*, 1985, 323-370).

Quanto mais à vontade uma pessoa se sente em nossa presença, mais fácil será detectar os comportamentos não verbais cruciais do desconforto associados à dissimulação. Seu objetivo é criar um ambiente descontraído durante a parte inicial de qualquer interação ou enquanto estiver estabelecendo a confiança do seu interlocutor. Isso ajuda a determinar os comportamentos padrão de uma pessoa durante esse período em que ela, supostamente, não está se sentindo ameaçada.

### Estabelecendo uma zona de conforto para detectar dissimulação

Para tentar detectar mentiras, você deve reconhecer e perceber o *seu* impacto sobre o comportamento de um potencial mentiroso (Ekman, 1991,

170-173). Sua maneira de fazer as perguntas (de modo acusador), sua forma de se sentar (muito perto) e seu modo de olhar para a pessoa (de modo suspeito) vão reforçar ou abalar o nível de conforto dela. É fato que se você violar o espaço das pessoas, se agir de forma suspeita, se olhar para elas da maneira errada ou fizer perguntas em tom acusatório, isso irá interferir negativamente no interrogatório. Acima de tudo, desmascarar mentirosos não tem a ver com identificar desonestidade, mas sim com como você observa e questiona os outros para detectar mentiras. Então, trata-se da coleta de inteligência não verbal. Quanto mais observar grupos de comportamento, mais seguro você se sentirá sobre sua avaliação e maiores serão suas chances de perceber quando alguém está mentindo.

Mesmo se está procurando ativamente identificar mentiras durante uma discussão ou um interrogatório, você deve ser *neutro*, para não levantar suspeitas. Lembre-se de que, no momento em que você se mostrar desconfiado, a pessoa vai passar a responder de outra forma. Se você disser "Isso é mentira" ou "Acho que não está dizendo a verdade", ou apenas olhar para ela com desconfiança, você influenciará o comportamento da pessoa (Vrij, 2003, 67). A melhor maneira de proceder é pedir mais detalhes sobre o assunto, com um mero "Não entendi" ou "Pode repetir como isso aconteceu?". Frequentemente, o simples fato de pedir para alguém explicar uma afirmação será suficiente para distinguir mentira e verdade. Se estiver tentando se certificar das credenciais de alguém durante uma entrevista de emprego, a verdade sobre um roubo no trabalho ou, especialmente, se estiver envolvido em uma discussão séria sobre finanças ou uma possível infidelidade do cônjuge, manter a calma é essencial. Tente permanecer calmo ao fazer perguntas, não aja de forma suspeita e adote uma postura confortável e neutra. Desse modo, a pessoa com quem você está falando terá menos chances de ficar na defensiva e/ou relutante em revelar informações.

### Como definir sinais de conforto

O conforto é facilmente observável em conversas de família e amigos. Percebemos quando as pessoas estão se divertindo e se sentindo à vontade em nossa presença. Sentadas à mesa, as pessoas que se sentem à vontade afastam objetos para que nada bloqueie sua visão. Com o tempo, elas chegam até a se aproximar para não precisar falar tão alto. Exibem o corpo mais abertamente, mostrando mais o torso e a parte interna dos braços e das pernas (permitindo acesso ventral ou frontal). Na presença de estranhos, é mais difícil se sentir à vontade, especialmente em situações estressantes como uma entrevista formal ou um depoimento. É por isso que é tão importante fazer seu melhor para criar uma zona de conforto desde o início da interação com outro indivíduo.

Quando nos sentimos à vontade, nossos comportamentos não verbais entram em *sincronia*. O ritmo da respiração de duas pessoas à vontade será semelhante, assim como o tom da fala e a postura geral. Basta lembrar como um casal acaba se inclinando um em direção ao outro quando estão totalmente entrosados. Se um se inclina para a frente, o outro faz a mesma coisa, num fenômeno conhecido como isopraxismo. Se, ao conversarmos de pé com uma pessoa, ela se inclinar para o lado com as mãos nos bolsos e os pés cruzados, provavelmente faremos o mesmo (ver Figura 87). Quando espelhamos o comportamento de outra pessoa, inconscientemente estamos dizendo: "Eu me sinto confortável com você."

Em uma entrevista de emprego ou em qualquer situação em que um tema difícil seja discutido, o tom de cada interlocutor deve refletir o do outro ao longo do tempo se houver sincronia (Cialdini, 1993, 167-207). Se não existir harmonia entre as pessoas envolvidas, não haverá essa sincronia. Elas podem se sentar de maneira diferente, falar de uma maneira ou em um tom diferentes entre si, ou pelo menos suas expressões estarão em conflito, se não totalmente díspares. A assincronia é uma

**Figura 87**

Eis um exemplo de isopraxismo: duas pessoas espelham o comportamento uma da outra e se inclinam uma em direção à outra, exibindo sinais de alto conforto.

barreira à comunicação eficaz e um sério obstáculo para uma entrevista ou uma discussão bem-sucedidas.

Se você estiver relaxado e seguro de si durante uma conversa ou entrevista, enquanto a outra parte não para de olhar para o relógio ou fica sentada e tensa ou sem se movimentar (comportamento conhecido como *congelamento instantâneo*), isso indica desconforto, embora olhos destreinados possam achar que está tudo bem (Knapp & Hall, 2002, 321; Schafer & Navarro, 2004, 66). Fazer várias interrupções ou falar repetidamente sobre terminar a conversa também são sinais de desconforto.

Obviamente, demonstrações de conforto são mais comuns em pessoas que estão falando a verdade. Não há estresse a ocultar, nem sentimento de culpa para que não se sintam à vontade (Ekman, 1991, 185). Portanto, você deve procurar sinais de desconforto – quando eles ocorrem e em que contexto – para detectar possíveis mentiras.

## Sinais de desconforto em uma interação

Demonstramos desconforto quando não gostamos do que está acontecendo, do que estamos vendo ou ouvindo ou quando somos obrigados a falar sobre coisas que preferíamos manter ocultas. O desconforto se manifesta antes de tudo em nossa fisiologia, devido à estimulação do cérebro límbico. Nossa frequência cardíaca se acelera, nossos cabelos ficam arrepiados, transpiramos mais e respiramos mais rápido. Nosso corpo demonstra incômodo por meio dessas respostas, que são automáticas e não exigem atuação do cérebro pensante, mas também o faz através de sinais não verbais. Tendemos a mover o corpo na tentativa de bloquear ou manter distância, nos recompomos, balançamos o pé, ficamos inquietos, mudamos de posição, colocamos a mão na cintura ou tamborilamos com os dedos quando estamos assustados, nervosos ou significativamente desconfortáveis (De Becker, 1997, 133). Todos nós já vimos esses comportamentos em outras pessoas – seja em uma entrevista de emprego, em um encontro romântico ou quando somos questionados sobre um assunto sério no trabalho ou em casa. Lembre-se de que esses gestos não indicam necessariamente dissimulação, mas apontam que uma pessoa está se sentindo desconfortável em uma situação por várias razões.

Se você está tentando detectar o desconforto como um potencial indicador de dissimulação, é melhor que não haja nada como móveis, bancadas, mesas ou cadeiras entre você e a pessoa que está sendo observada ou entrevistada. Como mencionado antes, os membros inferiores são particularmente honestos, então, se a pessoa estiver atrás de uma bancada ou mesa, tente mover esse obstáculo, ou ele bloqueará grande parte (quase 80%) das superfícies do corpo que devem ser observadas. Na verdade, repare como mentirosos usam obstáculos (como travesseiros, copos ou cadeiras) para formar uma barreira entre você e eles (ver Quadro 57). Essa prática é sinal de que o indivíduo quer distância e ocultação parcial, porque está sendo menos aberto – o que costuma acompanhar o desconforto ou mesmo a dissimulação.

---

### QUADRO 57: **CONSTRUINDO O MURO**

---

Anos atrás, quando eu ainda trabalhava no FBI, conduzi um interrogatório junto com um colega policial. Ao longo do depoimento, um homem muito desconfortável e dissimulado foi estabelecendo uma barreira à sua frente usando latas de refrigerante, porta-lápis e vários documentos que estavam sobre a mesa. Por fim colocou uma mochila na mesa entre ele e nós, os interrogadores. A construção dessa barreira foi tão gradual que só percebemos mais tarde ao analisar o vídeo. Esse comportamento não verbal ocorreu porque o interrogado ficou tentando obter conforto se escondendo atrás de uma parede de coisas e, assim, se distanciando. Obviamente, obtivemos pouca informação e muito menos cooperação, e, na maioria das vezes, ele mentiu.

---

Aliás, quando se trata de interrogatórios ou qualquer conversa em que você queira descobrir a verdade ou checar a veracidade das declarações de uma pessoa, você consegue obter mais informações não verbais se estiver de pé. Dessa forma, é possível notar muitos comportamentos que passam simplesmente despercebidos quando se está sentado. Embora um longo período em pé possa ser impraticável ou antinatural em alguns contextos, como em uma entrevista formal de emprego, muitas vezes ainda existem oportunidades para observar comportamentos em pé, como no ato de cumprimentar a pessoa ou ao conversar enquanto se espera uma mesa para o almoço.

Quando estamos desconfortáveis com as pessoas ao nosso redor, tendemos a nos distanciar delas. Isso é especialmente verdadeiro em indivíduos que estão tentando enganar alguém. Mesmo sentados lado a lado, iremos nos afastar daqueles que nos fazem sentir desconfortáveis, frequentemente movendo o tronco ou os pés para longe ou em direção a uma saída. Esses comportamentos podem ocorrer durante as conversas de um casal cujo relacionamento anda complicado, aflitivo ou amargurado, ou por causa do assunto em discussão.

Outros sinais claros de desconforto vistos durante uma conversa difícil ou preocupante incluem esfregar a testa perto da região das têmporas, comprimir o rosto, esfregar o pescoço ou passar a mão na nuca. As pessoas podem demonstrar desagrado revirando os olhos em desrespeito, se ajeitando (cuidado pessoal) ou falando de modo arrogante com a pessoa que faz as perguntas – dando respostas curtas, ficando na defensiva, sendo hostis ou sarcásticas ou mesmo fazendo microgestos com conotações indecentes, como mostrar o dedo do meio (Ekman, 1991, 101-103). Imagine uma adolescente ranheta e indignada que está sendo questionada sobre um suéter novo e caro que sua mãe suspeita que a filha roubou do shopping e você terá uma ideia clara de todas as manobras defensivas que uma pessoa pode executar quando está se sentindo desconfortável.

Ao fazer declarações falsas, os mentirosos raramente tocam em você ou estabelecem qualquer outro tipo de contato físico. Constatei isso particularmente em pessoas que forneciam informações falsas por dinheiro e se deram mal. Como o toque é realizado com mais frequência por pessoas sinceras para enfatizar algum ponto, esse distanciamento ajuda a aliviar o nível de ansiedade que uma pessoa desonesta sente. No caso de alguma pessoa passar a tocar seu interlocutor menos vezes, especialmente se for assim que ela ouvir ou responder a perguntas críticas, é provável que isso seja um indício de dissimulação (Lieberman, 1998, 24). Se possível e apropriado, considere sentar-se próximo a um ente querido ao questioná-lo sobre algo sério ou até mesmo segurar a mão de seu filho ao discutir um assunto difícil. Dessa forma, você vai poder observar com mais facilidade as alterações no número de toques durante a conversa.

No entanto, a ausência de toques não indica necessariamente que alguém é dissimulado, e o contato físico é claramente mais apropriado e esperado em alguns de nossos relacionamentos interpessoais do que em outros. A ausência de toques pode significar que alguém não gosta de você, pois também não encostamos em pessoas que não respeitamos ou a quem menosprezamos. A moral da história é que avaliar a natureza e a duração do relacionamento também é importante para discernir o significado desse comportamento de distanciamento.

Ao analisar o rosto em busca de sinais de conforto ou desconforto, procure comportamentos sutis como uma careta ou um olhar de desprezo (Ekman, 1991, 158-169). Observe também se os lábios de uma pessoa estão tremendo ou se retorcendo durante uma discussão séria. Qualquer expressão facial que perdure por muito tempo não é normal, seja um sorriso, uma careta ou um olhar surpreso. Esse comportamento forçado durante uma conversa ou entrevista é exibido para influenciar a opinião e não é autêntico. Muitas vezes, quando são flagradas fazendo algo errado ou mentindo, as pessoas sorriem pelo que parece uma eternidade. Em vez de indicar conforto, esse tipo de sorriso falso é na verdade uma demonstração de desconforto.

Quando não gostamos de algo que ouvimos, seja uma pergunta ou uma resposta, geralmente fechamos os olhos como se quiséssemos bloquear o que acabamos de ouvir. As várias formas de bloqueio dos olhos são análogas a entrelaçar as mãos firmemente contra o peito ou desviar o olhar daqueles de quem discordamos. Essas demonstrações são realizadas inconscientemente e ocorrem com frequência, sobretudo durante uma entrevista formal, e geralmente estão relacionadas a um tema específico. Também se observa tremor das pálpebras quando um assunto em particular causa desconforto (Navarro & Schafer, 2001, 10).

Todas essas manifestações dos olhos são sinais poderosos sobre como as informações são registradas ou quais perguntas são problemáticas para quem está mentindo. Entretanto, elas não são necessariamente indicativos de dissimulação. Pouco ou nenhum contato visual *não é* indicativo de dissimulação (Vrij, 2003, 38-39). Discordar disso é uma bobagem, por razões discutidas no capítulo anterior.

Lembre-se de que predadores e mentirosos habituais estabelecem mais contato visual do que a maioria das pessoas, e vão olhar diretamente para você. Pesquisas mostram claramente que pessoas maquiavélicas (por exemplo, psicopatas, vigaristas e mentirosos habituais) fazem mais contato visual durante dissimulações (Ekman, 1991, 141-142). Talvez essa frequência maior seja conscientemente empregada por esses indivíduos porque é comum (mas equivocado) acreditar que olhar alguém diretamente nos olhos passa confiança.

Esteja ciente de que existem diferenças culturais nos tipos de contato visual que devem ser consideradas em qualquer tentativa de detectar mentiras. Por exemplo, indivíduos que pertencem a determinados grupos (afro-americanos e latino-americanos, por exemplo) podem aprender a olhar para baixo ou desviar os olhos por respeito à autoridade dos pais quando questionados ou repreendidos (Johnson, 2007, 280-281).

Preste atenção nos movimentos de cabeça dos seus interlocutores. Se uma pessoa começar a movê-la de modo afirmativo ou negativo quando ela estiver falando, e o movimento for consonante com o que ela está dizendo, então a afirmação pode ser considerada confiável. Se, no entanto, esses movimentos forem protelados e ocorrerem após a fala, provavelmente a afirmação é falsa e não confiável. Embora seja muito sutil, o atraso no movimento da cabeça é uma tentativa de validar ainda mais o que foi afirmado e não faz parte do fluxo natural da comunicação. Além disso, movimentos honestos da cabeça devem ser consistentes com negações ou afirmações verbais. Do contrário, podem indicar dissimulação. Embora tipicamente envolva movimentos de cabeça mais sutis do que exagerados, essa incongruência entre os sinais verbais e os não verbais acontece com mais frequência do que pensamos. Por exemplo, alguém pode dizer "Não fui eu" enquanto assente com a cabeça.

Durante o desconforto, o cérebro límbico assume o controle, e o rosto da pessoa pode corar ou empalidecer. No decorrer de conversas difíceis, também podemos detectar transpiração ou respiração mais intensas; observe se a pessoa está tentando secar o suor ou controlar a respiração para manter a calma. Qualquer tremor do corpo, seja das mãos, dos dedos ou dos lábios, ou qualquer tentativa de ocultar ou restringir o movimento das mãos ou dos lábios (por meio de desaparecimento ou compressão) pode ser indicativo de desconforto e/ou dissimulação, especialmente se acontecer após a ocorrência de algum tipo normal de nervosismo.

A voz de uma pessoa pode falhar durante uma fala dissimulada; a deglutição torna-se difícil à medida que a garganta fica seca devido ao estresse, então procure momentos em que a pessoa tenha dificuldade de engolir. Esse comportamento pode ser evidenciado por um movimento repentino ou uma protuberância do pomo de adão, sendo acompanhado por um ou vários pigarros – tudo indicativo de desconforto. Lembre-se de que esses comportamentos indicam aflição, não são garantias de dissimulação. Vi pessoas muito honestas prestarem depoimento em tribunais demonstrando todos esses comportamentos simplesmente porque estavam nervosas, não porque estavam mentindo. Mesmo depois de anos trabalhando em tribunais federais e estaduais, até eu ainda fico nervoso quando estou em pé, portanto sinais de tensão e estresse sempre precisam ser decifrados no contexto.

### Pacificadores e desconforto

Ao interrogar suspeitos durante meus anos no FBI, procurei comportamentos pacificadores para ajudar a me orientar nos interrogatórios e avaliar o que era particularmente estressante para o interrogado. Embora os pacificadores por si sós não sejam prova definitiva de dissimulação (uma vez que podem se manifestar em pessoas inocentes que estão nervosas), eles fornecem outra peça do quebra-cabeça para determinar o que uma pessoa está de fato pensando e sentindo.

A seguir, forneço uma lista de 12 coisas que faço – e os pontos que mantenho em mente – quando quero interpretar sinais não verbais pacificadores em interações interpessoais. Você pode usar uma estratégia semelhante ao entrevistar ou conversar com outras pessoas, seja em um interrogatório, uma conversa séria com um membro da família ou uma reunião com um parceiro de negócios.

1. Tenha uma visão clara. Quando conduzo interrogatórios ou interajo com outras pessoas, não quero que nada bloqueie minha visão total da pessoa, pois não desejo perder nenhum comportamento pacificador. Se, por exemplo, a pessoa se acalma limpando as mãos no colo, quero poder ver isso – o que é difícil se houver uma mesa atrapalhando. O pessoal de recursos humanos deve estar ciente de que a melhor maneira de entrevistar alguém é em um espaço fisicamente aberto – sem nada na frente

do candidato –, para que seja possível observar completamente a pessoa que está sendo entrevistada.
2. Espere notar alguns comportamentos pacificadores. Para se acalmar, as pessoas costumam exibir certo nível de comportamento pacificador nas demonstrações não verbais cotidianas. Quando era mais nova, minha filha se acalmava mexendo no cabelo, enrolando os fios nos dedos, aparentemente alheia ao mundo. Portanto, espero que as pessoas se acalmem um pouco ao longo do dia, assim como espero que elas respirem à medida que se adaptam a um ambiente em constante transformação.
3. Espere certo nervosismo inicial. O nervosismo inicial em uma entrevista ou conversa séria é normal, principalmente quando as circunstâncias em torno da reunião são estressantes. Por exemplo, um pai perguntando ao filho se ele fez a lição de casa não será tão estressante quanto perguntar ao garoto por que ele foi expulso da escola.
4. Antes de tudo, certifique-se de deixar seu interlocutor relaxado. No decorrer de uma entrevista, reunião importante ou discussão significativa, os envolvidos devem ir relaxando e ficando mais à vontade. De fato, um bom interrogador garantirá que isso aconteça, esperando um tempo para deixar a pessoa ficar mais relaxada antes de fazer perguntas ou explorar temas que possam ser estressantes.
5. Estabeleça um parâmetro. Depois que uma pessoa deixa de exibir tantos comportamentos pacificadores, voltando ao seu estado normal, o interrogador pode usar esse estado como um parâmetro para avaliar o comportamento futuro.
6. Procure um aumento na ocorrência de pacificadores. À medida que a entrevista ou a conversa transcorre, você deve observar comportamentos pacificadores e/ou um aumento (pico) na frequência deles, principalmente quando ocorrem em resposta a uma pergunta ou informação específica. Esse aumento é sinal de que algo sobre a pergunta ou informação perturbou a pessoa, e esse tema provavelmente merece mais atenção. É importante identificar corretamente o estímulo específico (seja uma pergunta, uma informação ou um evento) que causou a resposta pacificadora. Do contrário, você pode tirar conclusões equivocadas ou direcionar a discussão para o lado errado. Por exemplo, se durante uma entrevista de emprego o candidato começa a ventilar o

colarinho da camisa (um pacificador) quando precisa responder sobre seu cargo anterior, essa pergunta específica causa estresse suficiente para que o cérebro dele exija se acalmar. Isso indica que a questão precisa ser investigada de forma mais detalhada. O comportamento não significa necessariamente que há dissimulação, mas simplesmente que o tema causa estresse no interrogado.

7. Pergunte, pare e observe. Bons interrogadores, assim como bons conversadores, não fazem perguntas como uma metralhadora, disparando uma depois de outra como um *staccato*. Você se sentirá pressionado a detectar as mentiras de forma precisa se não tiver uma boa relação com seu interlocutor. Faça uma pergunta, espere e então observe todas as reações. Dê ao entrevistado tempo para pensar e responder e faça pausas significativas para alcançar esse objetivo. Além disso, as perguntas devem ser elaboradas de forma a obter respostas específicas, para determinar melhor o que é fato e o que é ficção. Quanto mais específica for a pergunta, maior a probabilidade de você obter sinais não verbais precisos e, agora que compreende melhor o significado dos gestos inconscientes, mais minuciosas serão suas avaliações. Infelizmente, em interrogatórios policiais, muitas confissões falsas foram obtidas por meio de questionamentos contínuos do tipo *staccato*, que causa alto estresse e ofusca as dicas não verbais. Hoje sabemos que pessoas inocentes, quando pressionadas, confessam crimes e até fazem declarações por escrito, a fim de encerrar um interrogatório estressante (Kassin, 2006, 207-228). O mesmo vale para filhos, cônjuges, amigos e funcionários quando questionados por uma pessoa excessivamente zelosa, seja pai, marido, esposa, companheiro ou chefe.

8. Mantenha o interrogado focado. Os interrogadores devem ter em mente que, muitas vezes, quando as pessoas estão simplesmente conversando – contando o próprio lado da história –, elas exibem menos sinais não verbais úteis do que quando o interrogador está falando sobre um tema específico. Perguntas incisivas provocam comportamentos que são úteis para avaliar a honestidade de uma pessoa.

9. Tagarelar sem parar não equivale a contar a verdade. Um erro cometido tanto por interrogadores iniciantes como pelos experientes é a tendência de achar que falar é a mesma coisa que ser sincero. Quando

os interrogados falam, costumamos acreditar neles. Se são mais reservados, supomos que estão mentindo. Durante uma conversa, temos a impressão de que pessoas que fornecem uma quantidade enorme de informações e detalhes sobre um evento ou uma situação estão dizendo a verdade, mas elas podem estar inventando uma cortina de fumaça com a qual esperam ofuscar os fatos ou levar a conversa em outra direção. A verdade é revelada *não pelo volume* de informações, mas *pela verificação dos fatos* fornecidos pelo declarante. Até que sejam verificados, os dados são apenas relatos que talvez não tenham fundamento (ver Quadro 58).

---

### QUADRO 58: É TUDO MENTIRA

Eu me lembro de um caso em que interroguei uma mulher em Macon, na Geórgia. Durante três dias, ela voluntariamente nos forneceu páginas e páginas de informações. Fiquei achando que tínhamos algo quando a conversa finalmente terminou, até que chegou a hora de verificar os dados que a mulher tinha nos passado. Por mais de um ano, investigamos suas alegações (nos Estados Unidos e na Europa), mas, depois de despender significativos esforços e recursos, descobrimos que era tudo mentira. Ela elaborou inúmeras mentiras plausíveis, comprometendo inclusive o marido inocente. Se eu tivesse lembrado que cooperação nem sempre equivale a contar a verdade, e se tivesse interrogado a suspeita com mais cuidado, teríamos poupado muito tempo e dinheiro. As informações transmitidas por essa mulher pareciam boas e úteis, mas era tudo lixo. Eu gostaria de poder dizer que esse incidente aconteceu no início da minha carreira, mas não. Não sou o primeiro – nem o último – interrogador a ser enganado dessa maneira. Embora algumas pessoas falem de maneira mais natural do que outras, você sempre deve estar atento a esse tipo de "estratégia tagarela".

---

10. Estresse entrando, estresse saindo. Com base em anos de estudo da conduta de interrogados, concluí que uma pessoa com sentimento de culpa

apresentará dois padrões de comportamento distintos, em sequência, quando uma pergunta difícil for feita, como "Você já entrou na casa do Sr. Jones?" O primeiro padrão refletirá o estresse provocado pela pergunta. O interrogado responderá inconscientemente com vários gestos de distanciamento, incluindo retração dos pés (afastando-os do investigador), inclinar-se para longe ou retesar a mandíbula e cerrar os lábios. Isso será seguido pelo segundo padrão de comportamento, respostas pacificadoras ao estresse que podem incluir sinais como tocar o pescoço, coçar o nariz ou massagear o pescoço enquanto a pessoa reflete sobre a pergunta ou resposta.

11. Isole a causa do estresse. Dois padrões de comportamento consecutivos – os indicadores de estresse seguidos por comportamentos pacificadores – costumam ser erroneamente associados a dissimulação. Isso é lamentável, porque o significado dessas manifestações precisa ser explicado de maneira mais simples – indicadores de estresse e de alívio do estresse –, não necessariamente como sinal de desonestidade. Sem dúvida, alguém que está mentindo pode demonstrar esses mesmos comportamentos, mas indivíduos nervosos também. Costumo ouvir que, se as pessoas tocam o nariz enquanto falam, é porque estão mentindo. Isso pode até ser verdade, mas o mesmo acontece com pessoas que são honestas mas estão sob estresse. Tocar o nariz é um comportamento pacificador para aliviar a tensão interior – independentemente da fonte desse desconforto. Até um agente aposentado do FBI que é parado por excesso de velocidade sem nenhuma explicação legítima vai tocar no próprio o nariz quando for abordado (sim, paguei uma multa). Minha dica é esta: não se apresse em supor que alguém está mentindo se você o vir tocando o nariz. Para cada um que toca o nariz ao mentir, há centenas de outros que fazem isso por hábito para aliviar o estresse.

12. Comportamentos pacificadores dizem muito. Uma vez que nos auxiliam a identificar quando uma pessoa está estressada, eles também ajudam a identificar questões que precisam de mais foco e exploração. Fazendo as perguntas certas, podemos identificar esses pacificadores em *qualquer* interação interpessoal para entender melhor os pensamentos e as intenções de uma pessoa.

# OS DOIS PRINCIPAIS PADRÕES DE COMPORTAMENTO QUE INDICAM DISSIMULAÇÃO

Quando se trata de sinais do corpo que nos alertam para a possibilidade de dissimulação, você deve ficar atento a comportamentos não verbais que envolvam sincronia e ênfase.

## Sincronia

No início deste capítulo, discuti a importância da sincronia como uma forma de avaliar o conforto de alguém em uma interação interpessoal. Mas a sincronia também é importante para avaliar dissimulações. Procure-a entre o que está sendo dito verbal e não verbalmente, entre as circunstâncias do momento e o que a pessoa está dizendo, entre eventos e emoções, e até entre tempo e espaço.

Ao ser questionada, uma pessoa que responde afirmativamente deve apresentar um movimento de cabeça coerente que justifique de imediato aquilo que é dito. Esse movimento não deve ocorrer depois da afirmativa. A assincronia acontece quando uma pessoa diz "Não fui eu" mas ao mesmo tempo faz que sim com a cabeça, ou então quando um homem precisa responder à pergunta "Você mentiria sobre isso?" e ele assente um pouco com a cabeça mas fala "Não". As pessoas se envolvem nesse passo em falso porque os movimentos que fazem serão opostos na tentativa de controlar os danos. Quando o comportamento assíncrono é observado, aquele que o exibiu parece artificial e patético. Com muita frequência, uma afirmação mentirosa, como um "Não fui eu", é seguida por um movimento negativo da cabeça visivelmente atrasado e pouco enfático. Esses comportamentos não ocorrem em sincronia e, portanto, são mais propensos a indicar dissimulações porque, quando exibidos, transmitem desconforto.

Também deve haver sincronia entre o que está sendo dito e os eventos do momento. Por exemplo, quando pais denunciam o suposto sequestro de seu bebê, deve haver sincronia entre o evento (sequestro) e suas emoções. A mãe e o pai angustiados devem implorar por ajuda da polícia, enfatizando todos os detalhes, sentindo um profundo desespero, ansiosos por ajudar e dispostos a contar e recontar a história, mesmo sob risco pessoal.

Quando esses relatos são feitos por indivíduos calmos, mais preocupados em deixar de fora uma versão específica da história, que não apresentam demonstrações emocionais consistentes ou que estão mais preocupados com o próprio bem-estar e com a imagem que estão passando, o que vemos é um comportamento totalmente fora de sincronia com as circunstâncias e inconsistente com a honestidade.

Por fim, deve haver sincronia entre eventos e horário e local da comunicação. Uma pessoa que demora a comunicar um evento significativo, como o afogamento de um amigo, cônjuge ou filho, ou que viaja para outra jurisdição a fim de relatar o evento, deve ser, acertadamente, considerada suspeita. Além disso, a notificação dos eventos que só a pessoa testemunhou é assíncrona e, portanto, suspeita. As pessoas que mentem não pensam em como a sincronia se encaixa na equação, e seus comportamentos não verbais e histórias vão acabar traindo sua versão. Agir em sincronia é uma forma de conforto e, como vimos, desempenha um papel importante em interrogatórios policiais e denúncias de crime. Além disso, prepara o terreno para conversas bem-sucedidas e significativas sobre qualquer tipo de problema sério em que detectar mentiras seja importante.

### Ênfase

Quando falamos, utilizamos de modo natural várias partes do corpo – sobrancelhas, cabeça, mãos, braços, tronco, pernas e pés – para enfatizar um ponto que nos deixa profundamente envolvidos. Observar a ênfase é importante porque universalmente ela indica autenticidade. Ênfase é a contribuição do cérebro límbico para a comunicação, uma maneira de demonstrarmos para outras pessoas que sentimos algo poderoso em relação a alguma coisa. Por outro lado, quando o cérebro límbico não dá respaldo ao que dizemos, enfatizamos pouco ou simplesmente não o fazemos. Na maioria das vezes, pelo que observei em minha experiência e na de outros, os mentirosos não enfatizam (Lieberman, 1998, 37). O cérebro cognitivo dos mentirosos fica decidindo o que dizer e como dissimular, mas raramente pensa em como apresentar a mentira. Quando é obrigada a mentir, a maioria das pessoas não considera quanta ênfase é usada em conversas rotineiras. No momento em que os mentirosos tentam inventar uma resposta, a ênfase fica parecendo artificial ou ocorre em assincronia. Raramente eles enfatizam o que é apropriado, ou então optam por fazê-lo apenas em assuntos relativamente desimportantes.

Damos ênfase de modo verbal e não verbal. Verbalmente, enfatizamos por meio do tom de voz ou da repetição. Não verbalmente, esses comportamentos são indicativos ainda mais precisos e úteis do que as palavras quando se quer tentar detectar a verdade ou a desonestidade em uma conversa, uma entrevista ou um interrogatório. As pessoas que normalmente usam as mãos enquanto falam enfatizam suas observações com gestos, chegando até a bater na mesa. Outras pessoas usam as pontas dos dedos, gesticulando ou tocando as coisas. O comportamento das mãos complementa a sinceridade da fala, dos pensamentos e dos sentimentos (Knapp & Hall, 2002, 277-284). Levantar as sobrancelhas (numa arregalada rápida de olhos) e arregalar os olhos também são maneiras de destacar um ponto (Morris, 1985, 61; Knapp & Hall, 2002, 68).

Outra forma de dar ênfase é inclinar o tronco para a frente, demonstrando interesse. Para tanto, também exibimos gestos que desafiam a gravidade, como ficar na ponta dos pés quando levantamos um argumento significativo ou carregado emocionalmente. Quando sentadas, as pessoas dão destaque a algo balançando o joelho (em *staccato*) enquanto enumeram pontos importantes, dando uma ênfase adicional por meio de um tapinha no joelho quando ele se levanta, indicando um turbilhão de emoções. Gestos que desafiam a gravidade são emblemáticos como indicativos de ênfase e sentimento verdadeiros, algo que os mentirosos raramente demonstram.

Por outro lado, as pessoas dão pouca ênfase ou demonstram falta de comprometimento com o próprio discurso quando falam com a mão na frente da boca ou exibem poucas expressões faciais. As pessoas controlam o semblante e se envolvem em outros comportamentos, como os de retração e distanciamento, quando não estão comprometidas com o que estão dizendo (Knapp & Hall, 2002, 320; Lieberman, 1998, 37). Pessoas dissimuladas costumam mostrar comportamentos deliberados e pensativos, como dedos no queixo ou afago nas bochechas, como se ainda estivessem pensando no que dizer. Isso contrasta fortemente com as pessoas honestas, que enfatizam a informação que estão fornecendo. Pessoas dissimuladas gastam tempo avaliando o que dizem e como isso é recebido, o que é inconsistente com um comportamento honesto.

## COMPORTAMENTOS NÃO VERBAIS ESPECÍFICOS QUE INDICAM DISSIMULAÇÃO

A seguir apresento algumas coisas específicas em que você deve prestar atenção quando usar a ênfase como um meio de detectar possíveis mentiras.

### Falta de ênfase nos comportamentos das mãos

Como Aldert Vrij e outros pesquisadores relataram, a falta de movimento dos braços e a falta de ênfase de algum ponto de vista indicam dissimulação. O problema é que nem sempre há como observar isso, especialmente em um ambiente público. Mas se esforce para detectar quando isso ocorre e o contexto em que acontece, sobretudo após um assunto importante vir à tona (Vrij, 2003, 25-27). Qualquer mudança súbita no movimento reflete atividade cerebral. Quando os braços passam de agitados para imóveis, deve haver uma razão, seja desânimo ou (possivelmente) dissimulação.

Nos interrogatórios de que participei, notei que os mentirosos tendem a exibir menos mãos em torre. Também procuro articulações pálidas nos dedos do indivíduo que segura o braço da cadeira firmemente, como se estivesse em uma "cadeira ejetora". Infelizmente, para essa pessoa desconfortável, geralmente é impossível se ejetar da discussão. Muitos investigadores criminais descobriram que quando cabeça, pescoço, braços e pernas permanecem no lugar com pouco movimento e as mãos agarram com força os braços da cadeira, esse comportamento é muito consistente com o daqueles que estão dissimulando, mas, novamente, existem outras interpretações possíveis (Schafer & Navarro, 2003, 66) (ver Figura 88).

Curiosamente, à medida que os indivíduos fazem declarações falsas, eles evitam tocar não apenas outras pessoas, mas também coisas como uma mesa ou uma tribuna. Nunca vi ou ouvi uma pessoa que estivesse mentindo gritar afirmativamente "Não fui eu!" enquanto batia o punho na mesa. Geralmente, o que tenho visto são afirmações muito pouco enfáticas, com gestos igualmente moderados. Pessoas dissimuladas não têm comprometimento com o que estão dizendo nem demonstram autoconfiança. Embora o cérebro pensante (neocórtex) decida a mentira que vai dizer, o cérebro emotivo (o sistema límbico – a parte honesta do cérebro) simplesmente não estará comprometido com esse estratagema e, portanto, não dará ênfase às afirmações usando comportamentos não verbais. É difícil suprimir os sentimentos do cérebro límbico. Tente dar um sorriso largo para alguém de quem você não gosta. É extremamente difícil. Assim como um sorriso falso, afirmações falsas acompanham sinais não verbais fracos ou passivos.

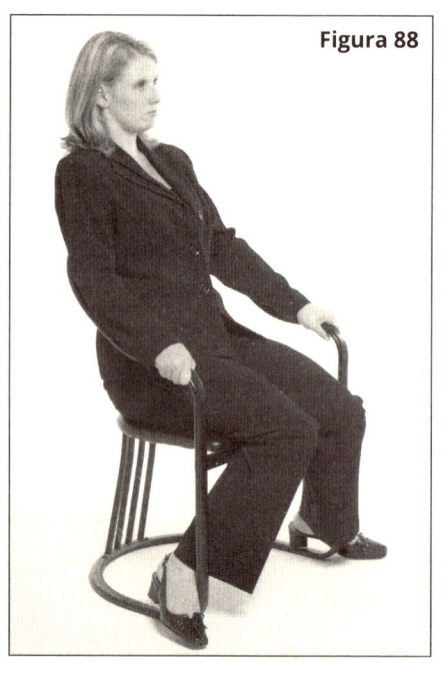

**Figura 88**

Ficar sentado por um longo período de tempo em uma cadeira, como se totalmente congelado em uma cadeira ejetora, é evidência de muito estresse e desconforto.

## A posição rogatória

Quando uma pessoa coloca os braços estendidos para a frente, com as palmas para cima, isso é conhecido como demonstração *rogatória* (ou "devota") (ver Figura 89). Devotos erguem as mãos a Deus para pedir misericórdia. Da mesma forma, soldados capturados levantam as mãos ao se aproximar dos inimigos. Esse comportamento também é visto em indivíduos que querem que você acredite em algo que eles estão dizendo. Durante uma discussão, observe seu interlocutor. Quando ele fizer uma afirmação, repare se as palmas das mãos estão viradas para cima ou para baixo. Durante uma conversa regular em que ideias estão sendo discutidas e nenhuma das partes se compromete veementemente com um ponto específico, é possível ver palmas tanto para cima como para baixo.

**Figura 89**

**Figura 90**

Palmas das mãos para cima, ou posição "rogatória", geralmente indicam que a pessoa quer que acreditemos nela ou quer ser aceita. Esse comportamento não indica dominância nem autoconfiança.

Afirmações feitas com as palmas das mãos para baixo são mais enfáticas e passam mais segurança do que aquelas feitas com as palmas para cima na posição rogatória.

Mas quando uma pessoa fala de forma vigorosa e assertiva algo como "Acredite, eu não a matei", as mãos devem estar voltadas para baixo (ver Figura 90). Se a afirmação é feita com as palmas voltadas para cima, isso quer dizer que o indivíduo está suplicando para que acreditemos nele, então eu consideraria essa afirmação altamente suspeita. Embora não seja garantia de nada, eu questionaria qualquer declaração feita com as palmas para cima. Essa posição não é muito afirmativa e indica que a pessoa está pedindo que acreditemos nela. Alguém que diz a verdade não precisa implorar ser visto com credibilidade. Ele faz uma afirmação e ela se sustenta sozinha.

## Demonstrações territoriais e dissimulação

Quando estamos autoconfiantes e à vontade, nós nos esticamos. Quando estamos menos seguros, tendemos a ocupar menos espaço. Em circunstâncias extremas, pessoas angustiadas podem contrair os braços e as pernas contra o corpo, assumindo uma posição quase fetal. Conversas e entrevistas desconfortáveis podem evocar várias posturas de distanciamento: braços entrelaçados e/ou tornozelos retraídos e travados debaixo da cadeira, às vezes a ponto de ser quase doloroso observar. Procure sobretudo mudanças drásticas na posição do corpo que possam ser indicativas de dissimulação, principalmente quando elas ocorrerem no mesmo momento em que a conversa tomar um rumo específico.

Quando estamos seguros sobre o que acreditamos ou dizemos, tendemos a nos sentar com ombros e costas expandidos, adotando uma postura ereta indicativa de autoconfiança. Quando as pessoas são dissimuladas ou completamente mentirosas, elas inconscientemente tendem a se inclinar ou afundar na cadeira como se estivessem tentando escapar do que está sendo dito – ainda que elas próprias estejam falando. Quanto às pessoas inseguras, seus pensamentos ou convicções provavelmente vão se refletir na postura – geralmente inclinando-se um pouco, mas às vezes abaixando muito a cabeça e levantando os ombros o máximo possível. Procure esse "efeito tartaruga" para saber se as pessoas estão se sentindo à vontade ou tentando se esconder em público. É definitivamente uma demonstração de insegurança e desconforto.

### Ombros encolhidos

Embora todos encolham os ombros quando não têm certeza de alguma coisa, os mentirosos têm um jeito diferente de replicar esse comportamento quando estão inseguros. Nesse tipo de pessoa, o gesto é anormal pelo fato de ser breve e personalizado, porque aquele que o manifesta não está totalmente comprometido com o que está sendo expresso. Se o gesto é com apenas um dos ombros, ou se os ombros se levantam quase ao máximo e a cabeça da pessoa parece desaparecer, isso indica grande desconforto e, às vezes, é visto em um indivíduo que está se preparando para mentir.

## OBSERVAÇÕES FINAIS

Como afirmei no início do capítulo, algumas pesquisas nos últimos anos são categóricas. Não há nenhum comportamento não verbal que, por si só, seja um claro indicativo de dissimulação (Ekman, 1991, 98; Ford, 1996, 217). Como meu amigo e pesquisador Dr. Mark G. Frank já me disse várias vezes: "Joe, infelizmente não há efeito Pinóquio quando se trata de dissimulação" (2006). Devo concordar com isso humildemente. Portanto, para separar os fatos da ficção, nosso único recurso realista é confiar nos comportamentos indicativos de conforto/desconforto, na sincronia e na ênfase para nos orientarem. Eles são um guia ou paradigma, e isso é tudo.

Uma pessoa incomodada, que não enfatiza nenhum ponto de vista e cuja comunicação está fora de sincronia está, na melhor das hipóteses, se comunicando mal, ou, na pior, mentindo. O desconforto pode ter várias causas, incluindo antipatia pelos envolvidos na discussão, o cenário em que a conversa está acontecendo ou o nervosismo durante uma entrevista. Também pode, obviamente, ser resultado de culpa, necessidade de ocultar informações ou simples mentiras. As possibilidades são muitas, mas agora que sabe como questionar melhor os outros, reconhecer os sinais de desconforto e a importância de contextualizar os comportamentos, você pelo menos tem um ponto de partida. Somente investigações, observações e corroborações adicionais podem garantir veracidade. Não há como evitar que as pessoas mintam para nós, mas pelo menos podemos ficar alertas quando tentarem nos enganar.

Por fim, tome cuidado para não rotular alguém como mentiroso a partir de informações limitadas ou com base em uma única observação. Muitos bons relacionamentos foram arruinados dessa maneira. Lembre-se: quando se trata de detectar mentiras, mesmo os melhores especialistas, inclusive eu, estão a apenas um piscar de olhos do acaso e têm uma probabilidade de apenas 50% de acertar. Em resumo, isso não é bom o suficiente!

NOVE

# Considerações finais

Há certo tempo, uma amiga me contou uma história que aborda o tema deste livro e que, por acaso, pode poupar muitos aborrecimentos se alguma vez você tentar encontrar um endereço em Coral Gables, na Flórida. Ela estava levando a filha para uma sessão de fotos a várias horas de sua casa, em Tampa. Como nunca tinha estado em Coral Gables, ela verificou um mapa para determinar a melhor rota a seguir. Tudo correu bem até ela chegar à cidade e começar a procurar placas de rua. Não havia nenhuma. Ela dirigiu por 20 minutos, passando por cruzamentos sem placas nem sinais visíveis. Por fim, em desespero, parou em um posto de gasolina e perguntou como alguém conseguia saber qual rua era qual. O proprietário não se surpreendeu com a dúvida. "Você não é a primeira a perguntar", falou de modo simpático. "Ao chegar a um cruzamento, você tem que olhar para baixo, não para cima. As placas de rua são blocos de pedra de 20 centímetros castigados pelo tempo com nomes pintados e colocados no chão perto da calçada." Minha amiga seguiu o conselho e em poucos minutos localizou seu destino. "Obviamente", observou ela, "fiquei procurando placas de rua a 2 metros ou mais acima do chão, não enterradas 20 centímetros no chão. O mais incrível foi que, depois que soube o que e onde procurar, os sinais me pareceram óbvios e inconfundíveis. Não tive problemas para encontrar meu destino."

Este livro também é sobre sinais. Quando se trata de comportamento humano, existem basicamente dois tipos de sinal, os verbais e os não verbais. Todos nós aprendemos a procurar e identificar os sinais verbais. Por analogia, sinais verbais são aqueles localizados em postes, claramente visíveis enquanto percorremos as ruas de uma cidade. Os não verbais são aqueles que sempre estiveram lá, mas que muitos de nós não aprendemos a detectar porque não fomos treinados para procurar e identificar elementos no nível do chão. O interessante é que, depois que aprendermos a prestar atenção e a interpretar sinais não verbais, nossas reações vão espelhar as de minha amiga. "Depois que soube o que e onde procurar, os sinais me pareceram óbvios e inconfundíveis. Não tive problemas para encontrar meu destino."

Espero que, compreendendo o comportamento não verbal, você tenha uma visão mais profunda e significativa do mundo à sua volta – tornando-se capaz de ouvir e ver as duas linguagens – a falada e a silenciosa –, que se combinam para apresentar a rica e completa tapeçaria da experiência humana em toda a sua encantadora complexidade. Vale a pena se esforçar para alcançar esse objetivo, e sei que você pode alcançá-lo. Agora você possui algo poderoso: conhecimentos que enriquecerão seus relacionamentos interpessoais pelo resto da vida. Aprecie saber o que todo *corpo* fala, pois dediquei meu trabalho e este livro a esse propósito.

Joe Navarro<br>
Tampa, Flórida<br>
Estados Unidos

# Agradecimentos

Quando comecei a escrever os primeiros rascunhos deste livro, percebi que já estava com este projeto na minha mente havia muito tempo. Ele não começou com meu interesse em analisar o comportamento não verbal ou em buscá-lo academicamente, nem no FBI. Na verdade, tudo começou com minha família muitos anos antes.

Aprendi a analisar as pessoas principalmente com os ensinamentos de meus pais, Albert e Mariana Lopez, e de minha avó Adelina Paniagua Espino. Cada um à sua maneira me ensinou algo diferente sobre o significado e o poder das comunicações não verbais. Com minha mãe, aprendi que esse tipo de comunicação é inestimável para lidar com os outros. Um comportamento sutil, segundo ela, pode evitar uma situação embaraçosa ou deixar alguém completamente à vontade – uma habilidade que ela desenvolveu facilmente ao longo da vida. Com meu pai, aprendi o poder da expressão facial. Um olhar pode transmitir uma quantidade enorme de informações com uma clareza espetacular. Ele é um homem que impõe respeito apenas por ser o que é. E com minha avó, a quem dedico este livro, aprendi que pequenos comportamentos têm grande importância: um sorriso, uma ligeira inclinação de cabeça, um toque suave na hora certa podem transmitir muito, e até curar. Eles me ensinaram essas coisas todos os dias e, ao fazê-lo, me prepararam para observar o mundo ao meu redor de forma mais apropriada. Seus ensinamentos, bem como os de muitas outras pessoas, estão nestas páginas.

Na Brigham Young University, J. Wesley Sherwood, Richard Townsend e Dean Clive Winn II me ensinaram muito sobre trabalho policial e observação de criminosos. Mais tarde, no FBI, pessoas como Doug Gregory,

Tom Riley, Julian "Jay" Koerner, Dr. Richard Ault e David G. Major me ensinaram as sutis nuances do comportamento de contrainteligência e espionagem. A eles, sou grato por aprimorarem minhas habilidades de observação das pessoas. Da mesma forma, tenho que agradecer ao Dr. John Schafer, ex-agente do FBI e membro do Programa de Análise Comportamental de elite da agência, que me incentivou a escrever e permitiu que eu fosse coautor de seus livros em várias ocasiões. Marc Reeser, que esteve comigo nas trincheiras capturando espiões por tanto tempo, também merece meu reconhecimento. Aos meus outros colegas, e havia muitos na Divisão de Segurança Nacional do FBI, agradeço por todo o apoio.

Ao longo dos anos, o FBI garantiu que aprendêssemos com os melhores. Portanto, nas mãos dos professores Joe Kulis, Paul Ekman, Maureen O'Sullivan, Mark Frank, Bella M. DePaulo, Aldert Vrij, Reid Meloy e Judy Burgoon aprendi sobre pesquisa em comunicações não verbais diretamente ou por meio de seus trabalhos. Fiz amizade com muitas dessas pessoas, incluindo David Givens, que chefia o Centro de Estudos Não Verbais em Spokane, Washington, e cujos trabalhos, ensinamentos e advertências carrego sempre comigo. Suas pesquisas e seus textos enriqueceram minha vida, e incluí seus trabalhos neste volume, bem como alguns de outros gigantes como Desmond Morris, Edward Hall e Charles Darwin, que deu início a tudo isso no seu livro seminal *A expressão das emoções no homem e nos animais*.

Enquanto essas pessoas forneceram o arcabouço científico, outras contribuíram à sua própria maneira para este projeto, e merecem um reconhecimento individual. Minha querida amiga Elizabeth Lee Barron, da Universidade de Tampa, é uma dádiva dos céus quando se trata de pesquisas. Também sou grato ao Dr. Phil Quinn, da Universidade de Tampa, e ao professor Barry Glover, da Universidade Saint Leo, pelos anos de amizade e disposição para se adaptarem à minha atribulada agenda de viagens.

Este livro não seria o mesmo sem as fotografias, e por isso sou grato pelo trabalho do renomado fotógrafo Mark Wemple. Também agradeço à Ashlee B. Castle, minha assistente administrativa, que, quando perguntada se estava disposta a fazer caretas para um livro, simplesmente respondeu: "Claro, por que não?" Vocês são maravilhosos. Também quero agradecer ao artista de Tampa David R. Andrade pelas ilustrações.

Matthew Benjamin, meu sempre paciente editor da HarperCollins, deu andamento a este projeto e merece meus aplausos por ser um cavalheiro e um profissional ímpar. Meus aplausos também vão para o editor executivo Toni Sciarra, que trabalhou de forma tão dedicada para finalizar este projeto. Matthew e Toni trabalham com uma equipe maravilhosa na HarperCollins, incluindo a editora Paula Cooper, a quem agradeço muito. E, como nos outros livros, quero agradecer ao Dr. Marvin Karlins por mais uma vez dar forma a minhas ideias e por suas amáveis palavras no prefácio.

Agradeço à minha querida amiga Dra. Elizabeth A. Murray, uma verdadeira cientista e educadora, que separou algum tempo da sua ocupada agenda de ensino para editar os primeiros rascunhos deste livro e compartilhar seu extenso conhecimento do corpo humano.

À minha família – toda ela, próxima e distante –, agradeço por tolerar a mim e meu trabalho como escritor quando eu deveria estar relaxando com vocês. Ao Luca, muito obrigado. À minha filha, Stephanie, agradeço todos os dias por sua alma amorosa.

Todas essas pessoas contribuíram de alguma maneira para este livro; seu conhecimento e suas sugestões, pequenas ou grandes, são compartilhados aqui. Escrevi este livro com a clara ideia de que muitos de vocês usarão essas informações no dia a dia. Com esse fim, trabalhei assiduamente para apresentar a ciência e as informações empíricas com zelo e clareza. Se houver algum erro neste livro, eles são de minha inteira responsabilidade.

Existe um velho ditado latino: "Qui docet discit" (Quem ensina aprende). De muitas maneiras, escrever não é diferente. É um processo de aprendizagem e esclarecimento, o que, no final das contas, sempre é um prazer. Espero que neste livro você também tenha adquirido um conhecimento profundo de como nos comunicamos de forma não verbal – e que sua vida seja mais rica, como a minha, sabendo o que todo corpo fala.

# Bibliografia

American Psychiatric Association. (2000). *Diagnostic and statistical manual of mental disorders* (4ª ed.). Texto revisado. Washington, D.C.: American Psychiatric Association.

Axtell, R. E. (1991). *Gestures: The do's and taboos of body language around the world*. Nova York: John Wiley & Sons, Inc. (*Gestos: um manual de sobrevivência gestual, divertido e informativo, para enfrentar a globalização*. Rio de Janeiro: Campus, 1995.)

Burgoon, J. K., Buller, D. B., & Woodall, W. G. (1994). *Nonverbal communication: The unspoken dialogue*. Columbus, OH: Greyden Press.

Cialdini, R. B. (1993). *Influence: The psychology of persuasion*. Nova York: William Morrow and Company, Inc.

Collett, P. (2003). *The book of tells: From the bedroom to the boardroom – how to read other people*. Ontario: HarperCollins Ltd.

Cumming, A. "Polygraph use by the Department of Energy: Issues for Congress". (14 de fevereiro de 2007): www.fas.org/sgp/crs/intel/RL31988.pdf.

Darwin, C. (1872). *The expression of emotion in man and animals*. Nova York: AppletonCentury Crofts. (*A expressão das emoções no homem e nos animais*. São Paulo: Companhia de Bolso, 2016.)

De Becker, G. (1997). *The gift of fear*. Nova York: Dell Publishing. (*Virtudes do medo*. Rio de Janeiro: Rocco, 1999.)

DePaulo, B. M., Stone, J. I., & Lassiter, G. D. (1985). "Deceiving and detecting deceit". In: B. R. Schlenker (ed.). *The self and social life*. Nova York: McGraw-Hill.

Diaz, B. (1988). *The conquest of new Spain*. Nova York: Penguin Books.

Dimitrius, J., & Mazzarella, M. (2002). *Put your best foot forward: Make a great impression by taking control of how others see you*. Nova York: Fireside. (*Começando com o pé direito: como administrar seus pontos fortes e fracos e causar uma boa impressão*. São Paulo: Alegro, 2001.)

_____ (1998). *Reading people*. Nova York: Ballantine Books. (*Decifrar pessoas: como entender e prever o comportamento humano*. São Paulo: Alegro, 2003.)

Ekman, P. (2003). *Emotions revealed: Recognizing faces and feelings to improve communication and emotional life*. Nova York: Times Books.

_____ (1991). *Telling lies: Clues to deceit in the marketplace, politics, and marriage*. Nova York: W. W. Norton & Co.

Ekman, P., & O'Sullivan, M. (1991). "Who can catch a liar?". *American Psychologist* 46, 913-920.

Ford, C. V. (1996). *Lies! Lies!! Lies!!! The psychology of deceit*. Washington, D.C.: American Psychiatric Press, Inc.

Frank, M. G., et al. (2006). "Investigative interviewing and the detection of deception". In: Tom Williamson (ed.). *Investigative interviewing: Rights, research, regulation*. Devon, UK: Willian Publishing.

Givens, D. B. (2005). *Love signals: A practical guide to the body language of courtship*. Nova York: St. Martin's Press.

_____ (1998-2007). *The nonverbal dictionary of gestures, signs & body language cues*. Consulta em: 18 nov 2007. Spokane Center for Nonverbal Studies Web: http:// members.aol.com/nonverbal2/diction1.htm.

Goleman, D. (1995). *Emotional intelligence*. Nova York: Bantam Books. (*Inteligência emocional*. Rio de Janeiro: Objetiva, 2016.)

Grossman, D. (1996). *On killing: The psychological cost of learning to kill in war and society*. Nova York: Back Bay Books. (*Matar! Um estudo sobre o ato de matar e o preço cobrado do combatente e da sociedade*. Rio de Janeiro: Biblioteca do Exército, 2007.)

Hall, E. T. (1969). *The hidden dimension*. Garden City, NY: Anchor. (*A dimensão oculta*. Rio de Janeiro: F. Alves, 1977.)

Hess, E. H. (1975a). *The tell-tale eye: How your eyes reveal hidden thoughts and emotions*. Nova York: Van Nostrand Reinhold.

_____ (1975b). "The role of pupil size in communication". *Scientific American* 233, 110-119.

Johnson, R. R. (2007). "Race and police reliance on suspicious non-verbal cues". *Policing: An International Journal of Police Strategies & Management* 20 (2), 277-290.

Kassin, S. M. (2006). "A critical appraisal of modern police interrogations". In: Tom Williamson (ed.). *Investigative interviewing: Rights, research, regulation*. Devon, UK: Willian Publishing.

_____ (2004). "True or false: 'I'd know a false confession if I saw one'". In: Pär Anders Granhag & Leif A. Strömwall (eds.). *The detection of deception in forensic contexts*. Cambridge, UK: Cambridge University Press.

Knapp, M. L., & Hall, J. A. (2002). *Nonverbal communication in human interaction*, (5ª ed.). Nova York: Harcourt Brace Jovanovich. (*Comunicação não verbal na interação humana*. São Paulo: JSN Ed., 1999.)

Leakey, R. E., & Lewin, R. (1977). *Origins: The emergence and evolution of our species and its possible future*. Nova York: E. P. Dutton. (*Origens: o que novas descobertas revelam sobre o aparecimento de nossa espécie e seu possível futuro*. São Paulo: Melhoramentos, 1982.)

LeDoux, J. (1996). *The emotional brain: The mysterious underpinnings of emotional

Para saber mais sobre os títulos e autores da Editora Sextante,
visite o nosso site e siga as nossas redes sociais.
Além de informações sobre os próximos lançamentos,
você terá acesso a conteúdos exclusivos
e poderá participar de promoções e sorteios.

sextante.com.br

*life*. Nova York: Touchstone. (*O cérebro emocional: os misteriosos alicerces da vida emocional*. Rio de Janeiro: Objetiva, 1998.)

Lieberman, D. J. (1998). *Never be lied to again*. Nova York: St. Martin's Press.

Manchester, W. (1978). *American Caesar: Douglas MacArthur 1880-1964*. Boston: Little, Brown, & Company.

Morris, D. (1985). *Body watching*. Nova York: Crown Publishers.

Murray, E. (2007). Entrevista cedida a Joe Navarro. 18 de agosto, Ontário, Canadá.

Myers, D. G. (1993). *Exploring psychology* (2ª ed). Nova York: Worth Publishers.

Navarro, J. (2007). "Psychologie de la communication non verbale". In: M. St-Yues & M. Tanguay (eds.). *Psychologie de l'enquête criminelle: La recherche de la vérité*. Cowansville, Québec: Les Éditions Yvon Blais: 141-163.

——— (2006). *Read 'em and reap: A career FBI agent's guide to decoding poker tells*. Nova York: HarperCollins.

——— (2003). "A four-domain model of detecting deception". *FBI Law Enforcement Bulletin* (June), 19-24.

Navarro, J., & Schafer, J. R. (2003). "Universal principles of criminal behavior: A tool for analyzing criminal intent". *FBI Law Enforcement Bulletin* (janeiro), 22-24.

——— (2001). "Detecting deception". *FBI Law Enforcement Bulletin* (julho), 9-13.

Nolte, J. (1999). *The human brain: An introduction to its functional anatomy*. St. Louis, MO: Mosby.

Ost, J. (2006). "Recovered memories". In: Tom Williamson (ed.). *Investigative interviewing: Rights, research, regulation*. Devon, UK: William Publishing.

Panksepp, J. (1998). *Affective neuroscience: The foundations of human and animal emotions*. Nova York: Oxford University Press, Inc.

Prkachin, K. M., & Craig, K. D. (1995). "Expressing pain: The communication and interpretation of facial pain signals". *Journal of Nonverbal Behavior* 9 (4), dez.-mar., 181-205.

Ratey, J. J. (2001). *A user's guide to the brain: Perception, attention, and the four theaters of the brain*. Nova York: Pantheon Books. (*O cérebro: um guia para o usuário*. Rio de Janeiro: Objetiva, 2002.)

Schafer, J. R., & Navarro, J. (2004). *Advanced interviewing techniques*. Springfield, IL: Charles C. Thomas Publisher.

Simons, D. J., & Chabris, C. F. (1999). "Gorillas in our midst: Sustained inattentional blindness for dynamic events". *Perception* 28, 1059-1074.

St-Yves, M., & Tanguay, M. (eds.) (2007). *Psychologie de l'enquête criminelle: La recherche de la vérité*. Cowansville, Québec: Les Éditions Yvon Blais.

Vrij, A. (2003). *Detecting lies and deceit: The psychology of lying and the implications for professional practice*. Chichester, UK: John Wiley & Sons, Ltd.